Grammaire – Orthographe – Conjugaison
Vocabulaire – Expression

Sous la direction
d'**Annie Lomné**

Adrien Daoudal
Professeur agrégé de lettres classiques (92)

Marianne Fessler
Professeur certifiée de lettres classiques (92)

Hélène Lacroix-Blondel
Professeur agrégée de lettres classiques (92)

Éric Levasseur
Professeur certifié de lettres modernes (92)

Annie Lomné
Professeur certifiée de lettres classiques (92)

Nom ....

Prénom ....

Classe ....

Sommaire

J'ENRICHIS MON VOCABULAIRE

J'AMÉLIORE MA RÉDACTION

OUTILS

GRAMMAIRE

CONJUGAISON

© Hatier, Paris, avril 2016 – ISBN : 978-2-218-98938-4

1 Le groupe nominal minimal

J'observe

Il envoie des rapports *quotidiens* à son chef.

Souligne les deux noms de cette phrase et entoure leurs déterminants.

Peux-tu supprimer le mot en italique ? ....

Le groupe formé par un nom et son déterminant s'appelle un groupe nominal minimal.

Je retiens

A QU'EST-CE QU'UN GROUPE NOMINAL ?

- Un **groupe nominal** (GN) est un groupe de mots dont le **noyau** est un **nom**.
- Un groupe nominal **minimal** est constitué d'un **déterminant** + un **nom**.

  un oiseau, mon ami
- Un groupe nominal peut être enrichi d'**une ou plusieurs expansions**.

  *un **beau** paysage, un trêfle **à quatre feuilles**, l'homme **qui rit***

B QUELS SONT LES DIFFÉRENTS DÉTERMINANTS ?

- Les **articles** définis, définis contractés, indéfinis, partitifs : *le, les, des, un, du...*
- Les déterminants **possessifs** : *mon, ma, mes, ton, nos...*
- Les déterminants **démonstratifs** : *ce, cet, cette, ces*
- Les déterminants **numéraux** : *un, deux, premier, deuxième...*
- Les déterminants **exclamatifs** et **interrogatifs** : *quel(s), quelle(s)*

C COMMENT LES DÉTERMINANTS S'ACCORDENT-ILS ?

- Ils s'accordent **en genre et en nombre** avec le nom qu'ils déterminent.

  ce jour, ces jours

Exceptions : les déterminants numéraux cardinaux sont invariables (sauf *vingt* et *cent* qui s'accordent s'ils sont multipliés sans être suivis d'un autre chiffre).

huit jours, deux cents, deux cent dix

Je m'entraîne

1 Souligne les GN minimaux, barre les expansions.

1. Le miracle auquel plus personne ne voulait croire arriva.
2. Cet enlèvement, qui avait bouleversé l'Autriche, connaît donc un dénouement totalement inattendu.
3. Effrayée par cette aventure, mon amie a décidé de s'arrêter là.

Les articles partitifs peuvent être remplacés par *un peu de*.

2 Indique la classe grammaticale complète des articles en gras.

1. Ferme **la** porte. .... • J'ai apporté **des** pommes. ....
2. Prends **du** pain. .... • Il est allé **au** marché. ....
3. Il faudra **du** courage pour suivre cet emploi **du** temps. ....
....

Au singulier *ses* devient *son, sa*; *ces* devient *ce, cet, cette*.

3 Complète par *ces* ou *ses*.

1. Regarde .... belles montagnes ! • Elle m'a prêté .... baskets.
2. Où vont tous .... gens ? • Elle est grande, ne te mêle pas de .... affaires.
3. .... situations sont très rares, chacun a .... opinions sur .... sujets.

4 Accorde les déterminants numéraux entre parenthèses.

1. (5) .... ans • les (1000) .... participants
2. les (20 premier) .... participants • (200) .... euros
3. tous les (4) .... ans • (80) .... jours

5 Utilise le déterminant demandé pour former un GN minimal. N'oublie pas de l'accorder.

1. .... épreuves (article défini) • .... amie (possessif)
2. .... inconnu (démonstratif) • .... pain (article partitif)
3. .... eau (article partitif) • .... athlètes ? (interrogatif)

6 J'APPLIQUE pour lire

L'homme que les gendarmes ont fait entrer dans le box avait **la peau cireuse des prisonniers**, les cheveux ras, le corps maigre et mou, fondu dans une carcasse restée lourde. Il portait un costume noir, un polo noir au col ouvert, et la voix qu'on a entendue répondre à l'interrogatoire d'identité était blanche. Il gardait les yeux baissés sur ses mains jointes qu'on venait de libérer des menottes.

Emmanuel Carrère, *L'Adversaire*,
© P.O.L. éditeur (2000).

a) **Recopie les GN minimaux des deux GN en gras.**
....

b) **Recopie le seul GN minimal du texte.**
....

c) **Recopie et indique la classe grammaticale exacte des déterminants correspondant aux noms soulignés.** ....
....
....
....
....

7 J'APPLIQUE pour écrire

Décris ton personnage de roman ou de BD préféré.

Consigne
- 5 lignes
- texte au présent
- 6 GN

Coche la couleur que tu as le mieux réussie.

Chacun son rythme

- Relève de nouveaux défis ! → **exercices 1, 2 p. 12**
- Améliore tes performances ! → **exercice 3 p. 12**
- Prouve que tu es un champion ! → **exercice 4 p. 12**

2 Les pronoms

J'observe

Qui a pris mes gants ? **Ceux-là** sont bleus et **les miens** sont rouges.

Que représente le mot en italique ? ....

Quel nom remplace les mots en gras ? ....

Récris la phrase en faisant la répétition. ....

Quels déterminants as-tu utilisés ? ....

Je retiens

A QUELLES SONT LES CARACTÉRISTIQUES DES PRONOMS ?

• Ils **remplacent** un nom, un GN, un adjectif, une proposition (pour éviter une répétition).

Il est passé hier et je ne **le** *savais pas.* → *le* remplace *il est passé hier*

• Ils **s'accordent en genre et en nombre avec le mot qu'ils remplacent** ; s'il s'agit d'une proposition, ils restent au masculin singulier.

B TABLEAU DES PRONOMS

		Caractéristiques	Exemples
Pronoms personnels	je, tu, il(s), elle(s), nous, vous… moi, m', me, te… lui, leur, eux, se, en, y…	Peuvent aussi **marquer la personne** devant un verbe conjugué. Pronoms les plus courants.	*nous pensons,* *je chante*
Pronoms possessifs	le mien, la tienne, les siennes, le nôtre, la vôtre, les leurs…	**Remplacent un nom** précédé d'un déterminant possessif.	*ma maison* → *la mienne*
Pronoms démonstratifs	celui(-ci ou -là), ceux(-ci ou -là), celle(s)(-ci ou -là), ce, c', ceci, cela, ça	Peuvent **remplacer un nom** précédé d'un déterminant démonstratif.	*cette époque* → *celle-ci*
Pronoms interrogatifs	qui, que, quoi, lequel, laquelle, le(s)quel(le)s, auquel, duquel…	**Posent une question** directement ou indirectement.	*Qui es-tu ?* *Je sais qui tu es.*
Pronoms relatifs	qui, que, quoi, dont, où, lequel, laquelle, auquel…	**Introduisent** une proposition subordonnée **relative**.	*C'est le livre dont je t'ai parlé.*

Je m'entraîne

1 Indique le mot ou groupe de mots que remplacent les pronoms en gras.

1. Je n'ai pas vu Jules au gymnase, **il** .... devait pourtant **y** .... venir.

2. Mon petit frère a les yeux bleus, **le mien** .... **les** .... a noirs.

3. Est-il vainqueur ? Oui, il **l'** .... est mais ne **le** .... dis à personne !

2 Souligne les pronoms et classe-les dans le tableau.

1. Nous n'avons pas compris cela. Son pull est épais, le mien non.

2. Je ne te conseille pas de lui prêter le livre que nous t'avons offert.

3. Que cherches-tu ? Je ne m'en souviens pas, j'y réfléchis.

Personnels	Possessifs	Démonstratifs	Interrogatifs	Relatifs
....	....	....	....	....
....	....	....	....	....

3 Réécris ces phrases en utilisant des pronoms personnels pour éviter les répétitions.

1. Les élèves ont organisé un concert, nous avons applaudi les élèves. ....

2. Nos amis sont revenus des États-Unis. Nous aimerions aller aux États Unis, nous avons demandé des renseignements à nos amis. ....

3. Sais-tu que la voisine a gagné au loto ? Je ne savais pas qu'elle avait gagné, mais je suis allée féliciter la voisine. ....

4 Indique à côté de chaque mot en gras s'il s'agit d'un pronom (P) ou d'un déterminant (D).

Un déterminant **précède** un nom.

1. **Les** ( ) faits divers intéressent **les** ( ) lecteurs ; moi, je ne **les** ( ) lis jamais.

2. Je **leur** ( ) ai dit que **leur** ( ) porte était ouverte à **l'**( )heure du déjeuner.

3. **Le** ( ) rencontres-tu souvent ? Je ne **le** ( ) vois que **le** ( ) mercredi.

5 Souligne en rouge les *que* pronoms relatifs et en bleu les interrogatifs.

1. Que deviens-tu ? • Le travail que tu fais m'intéresse.

2. Que de monde aujourd'hui ! • Le spectacle que nous pouvons voir est exceptionnel.

3. Je pense que les journaux que tu lis manquent d'intérêt.

Le pronom relatif est placé **après un nom**, le pronom interrogatif **pose une question**. *Que n'est pas toujours un pronom !*

6 **J'APPLIQUE** pour lire

« Un attentat horrible a été commis hier sur la personne d'un jeune homme, M. Pierre B..., étudiant en droit, qui appartient à une des meilleures familles de Normandie. **Ce jeune homme** était rentré chez lui vers dix heures du soir, il renvoya son domestique, le sieur Bouvin, en lui disant qu'il était fatigué et qu'il allait se mettre au lit. »

Guy de Maupassant, « La main d'écorché » (1875).

a) Remplace le groupe en gras par un pronom dont tu indiqueras la classe grammaticale exacte. ....

b) Encadre un pronom relatif et recopie la proposition relative. ....

....

c) Souligne en rouge tous les pronoms personnels qui renvoient à M. Pierre B...

d) Souligne en bleu le pronom personnel qui renvoie au domestique.

7 **J'APPLIQUE** pour écrire

Imagine la suite de ce texte.

Consigne
- 10 lignes
- 5 pr. personnels et 2 pr. d'une autre classe

Coche la couleur que tu as le mieux réussie.

- Relève de nouveaux défis ! ⟶ exercices 5 à 7 p. 12
- Améliore tes performances ! ⟶ exercices 8, 9 p. 13
- Prouve que tu es un champion ! ⟶ exercice 10 p. 13

3 Les déterminants et pronoms indéfinis

J'observe

Les membres de cette famille étaient très unis : chaque dimanche, tous se réunissaient autour d'une table.

Quel est le déterminant de *dimanche* ? ....

Quel mot reprend le groupe en gras ? ....

Il s'agit donc d'un ....**.**

Je retiens

QUELS SONT LES SENS DES DÉTERMINANTS ET PRONOMS INDÉFINIS ?

• Une **réalité indéterminée** ou une **quantité imprécise** : *certains, plusieurs, quelqu'un, quelques-uns, on, quelque(s), divers, différents, n'importe qui (quel, lequel...), la plupart (de), beaucoup (de)...*

Quelqu'un est passé en ton absence, il a laissé plusieurs messages.

• La **ressemblance** ou la **différence** : *le (la, les) même(s), tel, tel quel, (un, une, d')autre(s), l'(les)un(s), l'(les) autre(s), autrui...*

Nous avons le même objectif ; nos amis en ont un autre.

• La **négation** ou la **totalité** : *personne, rien, aucun, nul, pas un(e), tout, chacun, chaque, quiconque...*

Personne ne sait où il est ; il disparaît chaque soir.

Remarque : les indéfinis de sens négatif s'utilisent dans une **phrase négative** comportant la négation ***ne***.

QUELLES SONT LEURS CLASSES GRAMMATICALES ?

• **Pronoms :** *on, quelqu'un, quelques-uns, personne, rien, chacun, n'importe qui, quiconque, autrui, l'un... l'autre...*

• **Déterminants :** *quelques, chaque, divers, différents...*

• **Pronoms ou déterminants :** *certains, plusieurs, tel, autre, tout...*

Je m'entraîne

1 Complète avec un déterminant indéfini adapté à la phrase.

1. Ils sont restés .... jours, ... le monde était content.

2. .... bruit ne nous avertit de son arrivée. .... trace n'a été laissée par le voleur.

3. Il est arrivé .... temps plus tard et a dit qu'il n'irait .... part ailleurs.

2 Complète par un des pronoms indéfinis proposés : *chacun, personne, quelqu'un, n'importe quoi, rien, tout, les uns... les autres.*

1. .... va bien. • .... travaillent, ... s'amusent.

2. Je n'ai rencontré .... • .... a eu sa part.

3. Ne dis pas ...., même si tu n'as .... écouté.

Pour les différencier, observe s'ils sont suivis ou non d'un nom ou d'un GN.

3 Souligne les déterminants indéfinis, surligne les pronoms.

1. Je vous ai fait plusieurs dessins. • Je cherche quelqu'un pour garder mon bébé.
2. Certains préfèrent la mer, d'autres la montagne. • Moi j'ai d'autres préférences.
3. Beaucoup ont essayé, aucun n'a réussi. • Ils n'avaient aucune chance.

4 Souligne les déterminants indéfinis et classe-les dans le tableau ci-dessous.

1. Les parents donnent les mêmes recommandations à leurs enfants. • Je n'ai aucun souvenir.
2. Une telle journée est exceptionnelle. • J'ai différents stylos dans ma trousse. J'ai beaucoup de feutres aussi. Je voudrais un autre crayon.
3. Je me souviens d'un certain camarade qui venait tous les jours à vélo.

Ressemblance / différence	Quantité ou réalité indéfinie	Sens négatif	Totalité
....	....	....	....

5 Indique si les mots en gras sont des déterminants indéfinis ou des adjectifs qualificatifs.

	Indéfini	Adjectif
1. Nous explorons **différents** sites pendant nos vacances.	☐	☐
2. Je suis **certain** de t'avoir donné ce livre.	☐	☐
3. Je n'ai **nulle** envie de sortir.	☐	☐

Certains déterminants indéfinis s'utilisent avec un **sens différent** comme **adjectifs qualificatifs**.

6 **J'APPLIQUE** pour écrire

C'était un homme de quarante ans [...] il avait un certain tic gênant : la manie de cacher ses mains. Presque jamais, il ne les laissait errer, comme nous faisons tous, sur les objets, sur les tables. Il ne maniait jamais les choses traînantes avec ce geste familier qu'ont presque tous les hommes. [...] On aurait dit qu'il avait peur qu'elles ne fassent, malgré lui, quelque besogne défendue.

Guy de Maupassant, « Un fou » (1884).

a) **Souligne deux pronoms indéfinis.**

b) **Relève un déterminant indéfini exprimant la totalité et indique le nom qu'il détermine.**

....

c) **Relève deux autres déterminants indéfinis.**

....

7 **J'APPLIQUE** pour écrire

À ton tour, décris une personne qui a une habitude étonnante et précise ce que tu éprouves en la voyant.

Consigne
- 10 lignes
- 2 dét. et 2 pr. indéfinis

Coche la couleur que tu as le mieux réussie.

☐ Relève de nouveaux défis ! → **exercices 5 à 7 p. 12**
☐ Améliore tes performances ! → **exercices 8, 9 p. 13**
☐ Prouve que tu es un champion ! → **exercice 10 p. 13**

Chacun son rythme

4 L'accord des indéfinis

J'observe

Les athlètes s'entraînent **tous** les jours, mais tous n'ont pas **les mêmes** compétences.

Quelle est la classe de l'indéfini souligné ? ....

Pourquoi est-il au pluriel ? ....

Pourquoi les deux indéfinis en gras sont-ils au pluriel ? ....

....

Je retiens

Certains indéfinis **s'accordent avec le GN qu'ils remplacent ou déterminent**, d'autres sont **invariables**.

A QUELS INDÉFINIS S'ACCORDENT ?

- **En genre et en nombre :** *tel, tel quel, n'importe quel (lequel), certain, tout (masculin pluriel : tous), quelqu'un (pluriel : quelques-uns / unes), l'un.*

  *Pour réaliser ce gâteau, il faut **une certaine** quantité de sucre. • Regarde ces robes : **toutes** sont jolies. • **Telle quelle**, cette pièce est très agréable.*

- **En nombre :** *quelque, autre, même.*

  ***Quelques** années plus tard, **d'autres** sont venus.*

- **En genre :** *nul, aucun, chacun, pas un* (toujours au singulier) ; *différents, divers* (toujours devant un nom pluriel).

  ***Nulle** étoile dans le ciel. • **Chacune** a apporté sa contribution. • Il y a **diverses** possibilités.*

⚠ Le nom ou le verbe avec lequel ils s'accordent sera aussi toujours au singulier ou au pluriel.

B QUELS INDÉFINIS SONT INVARIABLES ?

- *Chaque, chacun, quiconque, autrui, personne, rien* (singulier).

  ***chaque** jour • **chaque** semaine • **Chacun** est venu.*

- *Plusieurs, beaucoup de, peu de, la plupart de* (pluriel).

  *Je t'ai apporté **plusieurs** livres. • **La plupart** sont arrivés en retard.*

Je m'entraîne

1 Accorde les indéfinis entre parenthèses.

1. Il m'a donné (quelque) .... renseignements. • Je lui en transmets d'(autre) ....

2. Je n'ai pas les (même) .... idées que toi. • N'arrive pas à (n'importe quel) .... heure.

3. Ils nous ont fait (divers) .... propositions ; (certain) .... étaient intéressantes.

2 Complète par *tout, tous, toute, toutes*.

1. Il a plu .... la journée. • .... les matins, il sort.

2. .... fuite est impossible. • .... sont inscrits au marathon.

3. Il roulait .... feux éteints. • .... quatre sont très gentils.

3 Accorde *tel, tel quel* et *nul* dans ces phrases.

1. (Tel) .... père, (tel) .... fille.
2. Il n'y a (nul) .... espoir.
3. (Tel) .... personne te répondra oui, (tel) .... autre te répondra non.
4. Il n'y a 'aucun) .... espoir, ni (aucun) .... chance.
5. Tu laisseras les lieux (tel quel) ....
6. (Nul) .... part, tu ne trouveras de (tel) ....installations.

4 Barre la mauvaise réponse.

1. Chaque article du journal était / étaient relu par le rédacteur en chef.
2. N'importe quel pigiste aurait / auraient pu écrire cet article.
3. La plupart des lecteurs est / sont satisfaits de la rubrique « Sports » de cet hebdomadaire.

5 Complète avec *tel quel* ou *tel qu'elle* (correctement accordés).

1. ...., cette assiette est magnifiquement composée.
2. Elle vend ses meubles ...., ils sont .... les a reçus.
3. .... sont écrites, ces consignes sont incompréhensibles.

Tu écris ***qu'elle(s)*** quand tu peux remplacer par ***qu'il(s)***.

JE CONSOLIDE mon orthographe

6 QCM Encadre la bonne réponse.

1. Elle est étonnée que son mari ait volé ...... légumes et qu'il n'en éprouve ...... honte.
   - **a.** quelques / nul
   - **b.** quelque / nulles
   - **c.** quelque / nuls
   - **d.** quelques / nulle
2. ...... viennent me voir, je pense ...... vont me demander quelque chose.
   - **a.** telle quelle / qu'elle
   - **b.** tel quelle / quelle
   - **c.** telles qu'elles / qu'elles
   - **d.** tel quel / quelles
3. ...... les arômes que l'on sent font tourner ...... les têtes.
   - **a.** tout / toutes
   - **b.** tous / toutes
   - **c.** toutes / toute
   - **d.** toutes / toutes

7 Accorde les indéfinis entre parenthèses.

1. (Certain) .... trouvent ce jeu stupide.
2. (Quelque) .... années avant, j'étais encore une enfant !
3. (Quelqu'un) .... ont déjà trouvé la solution.
4. Nous avons reçu (différents) .... propositions.
5. (Tel quel) ...., ces fleurs ne pourront pas être vendues.
6. (Tout) .... personne présente devra donner son identité.

Coche la couleur que tu as le mieux réussie.

- ☐ Relève de nouveaux défis ! → **exercices 11, 12 p. 13**
- ☐ Améliore tes performances ! → **exercice 13 p. 13**
- ☐ Prouve que tu es un champion ! → **exercice 14 p. 13**

Chacun son rythme

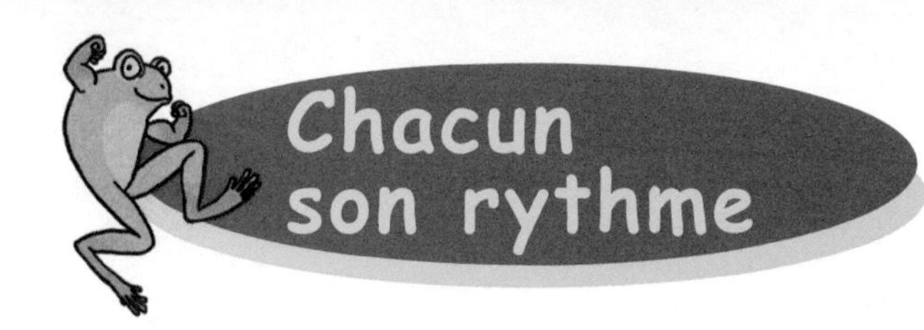

Le groupe nominal minimal

1. Range-mots **Classe ces noms et leurs déterminants dans le tableau.**

le fils • ces routes • son école • sa mère • mes yeux • un coup • vos activités • nos devoirs

	Masculin singulier	Masculin pluriel	Féminin singulier	Féminin pluriel
Déterminants article, possessif ou démonstratif	....	....	....	....
Nom	....	....	....	....

2. Mots à la loupe **Donne la classe grammaticale des mots en gras.**

1. Tu as pris **ma place**. ....
....
2. **Le vélo** est dehors. ....
....
3. **Ces affaires** sont encombrantes. ....
....
....
4. Il y a **des framboises** sur l'arbre. ....
....
....
5. **Ces pétales** de rose sont magnifiques. ....
....
....

3. Remue-méninges **Complète les phrases avec les mots proposés, souligne les GN et mets-les au singulier.**

jours • autographes • idoles • atmosphères • fans

1. Des .... de corruption et d'intrigues planaient autour de nous.
....
2. Des .... viennent voir leurs ....
....
3. Ces ....-là, je voulais absolument des ....
....

4. Bouche-trous **Forme un GN minimal avec chacun des noms en utilisant le déterminant indiqué. (Les genres ne sont pas toujours faciles à trouver !)**

1. Démonstratif : .... pétale
2. Article indéfini : .... haltère
3. Exclamatif : .... atmosphère !
4. Possessif 3e personne : .... tentacule
5. Démonstratif : .... autoroute

Les pronoms et les déterminants indéfinis

5. Chasse à l'intrus **Barre les mots qui ne peuvent pas être des déterminants indéfinis.**

aucun • des • chacun • maintes • personne • nul • quelqu'un • certain • tel • quel • la plupart de • rien • n'importe quoi • mêmes • les autres • divers • plusieurs • quiconque

Comment as-tu reconnu les déterminants ?

....

6. Range-mots **Classe ces déterminants indéfinis.**

pas un • chaque • quelque • tout • tel • autre • peu de • divers • différent • beaucoup de • même • certain • aucun

Quantité égale à un	....	Quantité nulle	....
Pluriel	....	Totalité	....
Ressemblance	....	Différence	....

7. Cache-cache **Souligne les pronoms indéfinis.**

les uns • n'importe quel • aucune • quelque • chaque • pas une • n'importe qui • beaucoup de • tout • le même • les gens • nous • d'autres • les autres • tout le monde • certains • il

8. Devinette **Trouve les déterminants correspondant aux définitions.**

1. Déterminant féminin singulier qui marque la totalité, en cinq lettres : ....
2. Déterminant indéfini masculin négatif, en trois lettres : ....
3. Déterminant indéfini qui marque la différence, singulier, en cinq lettres : ....
4. Déterminant indéfini qui marque la négation, masculin, en deux mots : ....
5. Déterminant indéfini qui marque la ressemblance, pluriel, en cinq lettres : ....

9. Lettres mêlées **Remets les lettres en ordre pour retrouver trois pronoms indéfinis au pluriel et place-les dans la phrase qui convient.**

1. UN MOT : RTCSAENI ....
2. DEUX MOTS : SSEEMLME ....
3. DEUX MOTS : UESTARESL ....

a. Ne regarde pas ce que font ....
b. Je veux .... toi !
c. .... ne sont pas très studieux ici.

10. Charade

Mon premier est un petit homme.

Mon second se trouve à l'entrée d'une maison.

Mon troisième est un déterminant exclamatif.

Mon tout est un déterminant qui indique une quantité égale à un.

Réponse : ....

Les accords des indéfinis

11. Range-mots **Classe ces pronoms.**

n'importe lequel • tout • le même • quiconque • on • tous • autrui • quelqu'un • plusieurs • un autre

Toujours singulier	....
Singulier ou pluriel	....
Pluriel	....

12. Quiz **Coche la ou les bonnes réponses.**

aucun ☐ s'accorde en genre ☐ s'accorde en nombre

aucun ☐ s'emploie sans négation ☐ s'emploie avec une négation

13. Remue-méninges **Complète les phrases à l'aide de pronoms indéfinis de ton choix.**

1. .... ne l'avait jamais vu.
2. .... attendait impatiemment son retour.
3. .... travaillent, ... s'amusent.
4. .... vont bien.
5. .... ne sert de courir, il faut partir à point.
6. .... a eu sa part.

14. Pyramide **Complète cette pyramide à l'aide des définitions puis place chacun des mots dans la phrase qui convient.**

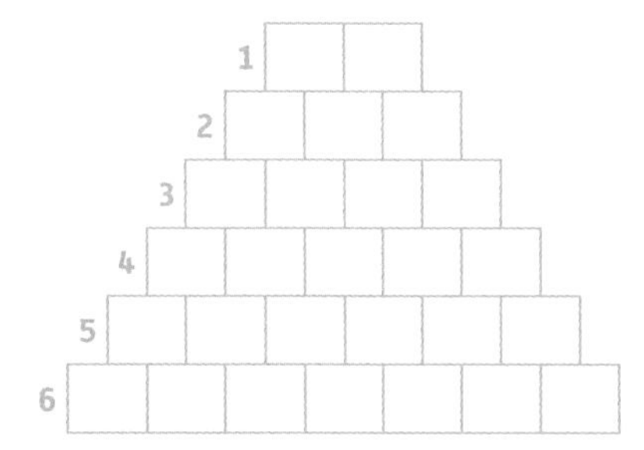

1. Pronom indéfini en deux lettres, masculin singulier.
2. Déterminant indéfini employé dans une phrase négative, masculin.
3. Pronom indéfini employé dans une phrase négative, masculin.
4. Déterminant indéfini féminin singulier qui marque la totalité.
5. Pronom indéfini, toujours singulier, qui marque la différence.
6. Déterminant indéfini, masculin singulier, qui change de sens au pluriel.

a. .... ressemblance avec mon père est à éviter.
b. Pour le bien d'............................., ne fais pas de bruit.
c. .... ne m'avait prévenu de votre arrivée.
d. Je me suis fait une entorse, il y a .... temps.
e. .... arrivera vers sept heures.
f. Je n'ai .... à dire.

5 L'adjectif épithète et le complément de l'adjectif

J'observe

Heureuse d'avoir rédigé un si bel article, elle y porta un point final.

Souligne les adjectifs et encadre les mots qu'ils qualifient.

Quel groupe de mots complète « heureuse » ? ....

Je retiens

QU'EST-CE QUE LA FONCTION ÉPITHÈTE ?

• L'épithète est un **adjectif qualificatif** (ou un participe utilisé comme adjectif) placé **avant ou après un nom**.

• Cette fonction est une **expansion du groupe nominal**.

*un **bel** article, un point **final***

• **L'épithète détachée** est séparée du nom ou du pronom qu'elle qualifie par une virgule.

***Heureuse**, elle y porta un point final.*

QU'EST-CE QUE LE COMPLÉMENT DE L'ADJECTIF (CDA) ?

• C'est un groupe relié par **une préposition à un adjectif.**

• Ce groupe apporte des **précisions sur l'adjectif.**

• L'adjectif devient alors le **noyau d'un groupe adjectival.**

***Heureuse** d'avoir rédigé un si bel article.*

• Le complément de l'adjectif peut être :
– un **infinitif** : *heureuse **d'avoir rédigé***
– un **groupe nominal** : *heureuse **de son article***
– une **proposition subordonnée** : *heureuse **que son article soit terminé***

COMMENT L'ADJECTIF ÉPITHÈTE S'ACCORDE-T-IL ?

• Il s'accorde **en genre** et **en nombre** avec le nom ou les noms qu'il qualifie.

une belle fleur, un bel article, un journal et une revue intéressants

• Les adjectifs de couleur s'accordent comme les autres adjectifs sauf : les **adjectifs de couleur composés** et les **noms utilisés comme adjectifs** qui restent **invariables** (**exceptions** : écarlate, mauve, pourpre, rose, fauve). *des chemises bleu clair, des chemises orange* mais *des chemises roses*

• Le **nom** complément de l'adjectif **s'accorde selon le sens.**

Ils étaient morts de peur. (= à cause de la peur)

Je m'entraîne

1 Dans les phrases suivantes, souligne les adjectifs épithètes et encadre le nom noyau.

1. J'ai appris une information surprenante concernant le scandale retentissant du faux témoin.

2. Cette grande revue mensuelle promet une lecture longue mais captivante.

3. J'ai lu une chronique et un éditorial limpides sur un sujet aride pour ne pas dire austère.

2 Souligne les CDA puis précise leur classe grammaticale.

1. Il était rouge de colère. ....

2. Je serais curieux de le voir. ....

3. Je suis fier de l'article que tu as sous les yeux ....

3 Complète chacune de ces phrases en lui ajoutant un CDA.

1. Le rédacteur en chef est très satisfait ....

2. Ce journaliste est capable ....

3. Il a un avis différent ....

4 Souligne en bleu les épithètes, en rouge les épithètes détachées et encadre les noms noyaux.

1. Enchantée, Sophie m'a apporté un beau bouquet pour me remercier.

2. Ce jeune enfant, intelligent mais turbulent, est très fatigant.

3. Étonnée par ta réaction, elle m'a aussitôt envoyé un curieux message.

5 Transforme les adjectifs de couleur en adjectifs composés à l'aide des propositions.

foncé • pâle • citron • marine • olive • vif

1. Ils portent des uniformes bleus. ....

2. Cette pierre bleue est très précieuse. ....

3. J'ai acheté une robe rouge. ....

4. Peignez-les en jaune. ....

5. Cette chemise verte te va bien. ....

6. J'écris sur des feuilles roses. ....

6 J'APPLIQUE pour lire

Il devint en peu de temps un remarquable reporter, sûr de ses informations, rusé, rapide, subtil, une vraie **valeur** pour le journal. [...] C'est un truc à saisir, pensait-il, en voyant certains confrères aller la poche pleine d'or, sans jamais comprendre quels **moyens** secrets ils pouvaient bien employer pour se procurer cette aisance.

Guy de Maupassant, *Bel-Ami* (1885).

a) **Encadre les épithètes des deux noms en gras.**

b) **Quelle est la fonction des adjectifs soulignés ?** ....

....

c) **Lequel est précisé par un complément d'adjectif ?** ....

d) **Relève un autre complément d'adjectif.** ....

....

7 J'APPLIQUE pour écrire

Le texte fait le portrait d'un reporter remarquable.
À ton tour, fais le portrait d'un sportif ou d'un acteur que tu admires particulièrement.

Consigne
- 10 lignes
- 8 épithètes
- 2 compléments d'adjectifs

Coche la couleur que tu as le mieux réussie.

- ☐ Relève de nouveaux défis ! → exercices 1, 2 p. 20
- ☐ Améliore tes performances ! → exercices 3, 4 p. 20
- ☐ Prouve que tu es un champion ! → exercices 5, 6 p. 20

6 Le complément du nom et la proposition relative

J'observe

Il fut nommé **chef** des échos par **M. Walter** qui s'y connaissait en rédacteurs.

D'après Guy de Maupassant, *Bel-Ami* (1885).

Relève les expansions des noms en gras. Indique leur classe grammaticale et leur fonction.

– chef : ....

– M. Walter : ....

....

Je retiens

A QU'EST-CE QU'UN COMPLÉMENT DU NOM (CDN) ?

- Le complément du nom est une **expansion d'un nom ou un pronom.**
- Le CDN est un **nom**, un **GN**, un **pronom**, un **infinitif** ou un **adverbe**.
- Il est généralement **introduit par une préposition** : *à (au, aux), de (du, des), en, pour, sans...*

  *le moment **de dormir** • le journal **d'hier** • un journaliste **en or***
- Il s'accorde **selon le sens**.

B QU'EST-CE QU'UNE PROPOSITION SUBORDONNÉE RELATIVE ?

- C'est une expansion d'un nom ou d'un pronom qui **comporte un verbe conjugué**.
- Elle est **introduite par un pronom relatif** : *qui, que, que, quoi, dont, où, lequel, auquel, duquel.*
- On appelle **antécédent du pronom relatif** le nom ou le pronom complété.
- La fonction de la proposition relative est **complément de l'antécédent**.

  *un homme **que je connais bien*** : complément de l'antécédent *homme*
- Le **verbe** de la relative **s'accorde avec son sujet**. Si le sujet est *qui*, le verbe s'accorde avec l'antécédent.

  ***les amis** qui **arrivent** ; **toi** qui **es** là*

Je m'entraîne

1 Souligne les CDN, puis précise leur classe grammaticale.

1. L'article de Duroy sur le sujet est remarquable. ....

2. J'ai pris grand plaisir à le lire, comme toujours. ....

3. Son article d'aujourd'hui critique le gouvernement anglais. ....

2 Complète les noms suivants par deux CDN commençant par deux prépositions différentes.

1. Un sac ....
- Une affaire ....

2. Un article ....
- Une réunion ....

....

3. Un homme ....
- Un roman ....

....

3 Souligne les propositions subordonnées relatives et encadre leur antécédent.

1. Te souviens-tu de l'affaire que *Le Monde* a divulguée l'an passé ?
2. C'est un événement dont je n'ai jamais entendu parler.
3. Je t'emmène dans le pays où l'enquête a été réalisée.

4 Indique la classe grammaticale et la fonction des expansions en gras.

1. Cette affaire, **qui est passionnante**, va nous accaparer.

....

2. Voici une nouvelle **qui est encourageante mais difficile à croire**.

....

3. Le chien **de ma voisine** est un animal **que personne ne supporte**.

....

5 Remplace les expansions par des adjectifs épithètes.

1. qui est passionnante : ....
2. qui est difficile à croire : ....
3. que personne ne supporte : ....

Les adjectifs épithètes sont aussi des **expansions du nom**.

6 J'APPLIQUE pour lire

La Vie française était avant tout un journal d'argent, le patron était un **homme** d'argent qui avait utilisé la presse pour réussir socialement. Il avait toujours un masque souriant de brave homme, mais il n'employait que des gens qu'il sentait à la fois audacieux et souples. Il avait ainsi nommé Duroy, qui lui semblait un garçon précieux, chef des échos.

D'après Guy de Maupassant, *Bel-Ami* (1885).

a) Relève et analyse les deux expansions du nom en gras. ....

....

....

b) Dans le reste du texte, relève trois CDN et indique le nom noyau. ....

....

....

c) Relève aussi deux propositions relatives et indique leur fonction. ....

....

....

....

7 J'APPLIQUE pour écrire

Le chef des échos était chargé au XIXe siècle de recueillir les renseignements qui alimentent ce que nous appelons aujourd'hui la « presse people ». Lis-tu ce genre de presse ?
Tu justifieras ta réponse en expliquant ce que tu penses de ces publications.

Consigne
- 10 lignes
- 4 relatives
- 4 CDN

Coche la couleur que tu as le mieux réussie.

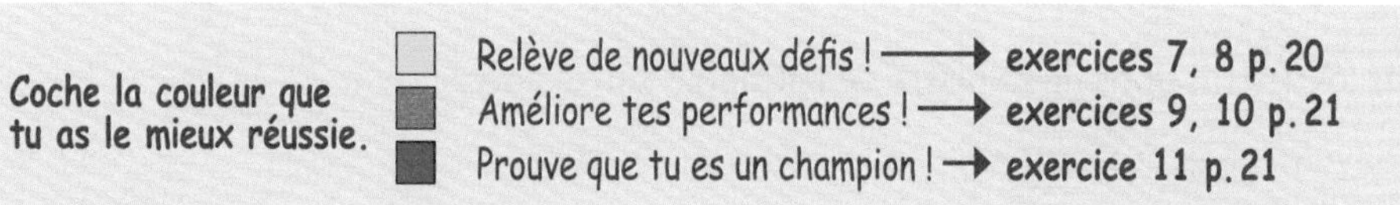

7 L'apposition

J'observe

Dans *L'Aurore* du 13 janvier 1898, Émile Zola a écrit une lettre ouverte à Félix Faure, **le président de la République**, immortalisée sous le titre « J'accuse ».

À quelle classe grammaticale appartient le groupe en gras ? ....

Qui désigne-t-il ? ....

Quel signe de ponctuation l'encadre ? ....

Je retiens

A QU'EST-CE QUE L'APPOSITION ?

- L'apposition est une **expansion du groupe nominal.**
- Elle apporte les **mêmes renseignements qu'un attribut du sujet** (identité, titre, profession, qualité...).

  Félix Faure, le président de la République = qui est le président de la République

B QUELLE EST LA PLACE DE L'APPOSITION ?

- Le plus souvent, elle est **séparée du nom, du pronom ou du GN par une virgule.**
- La virgule peut être **remplacée par deux points ou être supprimée.**

  *Zola a écrit un texte poignant **: une lettre au président**. Mon frère **Jean** nous a apporté* L'Aurore.
- Plus rarement, l'apposition est **introduite par *de*** : *la ville de Paris*
- **Remarque :** on peut toujours introduire les expressions *qui est* ou *qui s'appelle* entre le nom et son apposition.

  *La ville **de Paris** (apposition) = la ville qui s'appelle Paris*

  *La capitale **de la France** (CDN) : on ne peut pas dire qui est la France*

C QUELLES SONT LES CLASSES GRAMMATICALES DE L'APPOSITION ?

- **Nom, pronom ou GN.** *Un journal,* le nôtre, *s'est élevé contre une abomination.*
- **Verbe à l'infinitif ou groupe infinitif.** *J'ai un but* : bannir l'injustice.
- **Proposition subordonnée conjonctive.** *J'ai un but* : que l'injustice soit bannie.
- **Adjectif ou participe utilisé comme adjectif.** *Dreyfus,* emprisonné, clamait son innocence.
- **Groupe adjectival ou participial.** *Une lettre,* immortalisée sous le titre « J'accuse ».
- Les adjectifs et participes en apposition sont aussi appelés **épithètes détachées.**

Je m'entraîne

1 Ajoute la ponctuation manquante.

1. Nous suivons les instructions du ministre de la Guerre notre chef.

2. C'est notre devoir   obéir aux ordres.

3. Nous conseil de guerre nous ne pouvons déclarer Dreyfus innocent.

2 **Souligne deux appositions dans chaque phrase.**

1. Le chef d'état-major, le général Boisdeffre, a produit une preuve, un document accablant.
2. Je n'ai qu'une volonté, inébranlable : que justice soit faite.
3. Vous, monsieur le Président, examinerez l'affaire Esterhazy : un coupable qu'il fallait innocenter.

3 **Souligne les appositions et indique leur classe grammaticale. Encadre le nom ou le pronom noyau.**

1. Zola, un écrivain remarquable, a pris la plume pour défendre Dreyfus. ……………………
2. Arrêté par les gendarmes, il fut conduit en prison. ……………………
3. Dreyfus ne s'attendait pas à ça : qu'on l'envoie au bagne. ……………………

4 **Transforme les subordonnées relatives en gras en appositions.**

1. Cette décision **qui est scandaleuse** l'a anéanti.

……………………………………………………………

2. Ce roman **qui est un grand classique de la littérature** est toujours réédité.

……………………………………………………………

3. Cette maison **qui est trop éloignée du centre** ne trouve pas d'acquéreur.

……………………………………………………………

N'oublie pas d'utiliser la **ponctuation** caractéristique des appositions.

5 **Complète ces phrases par une apposition de la classe grammaticale indiquée.**

1. Mon ami (nom propre) …………………… est rentré ce matin.
2. Pendant les vacances, j'ai eu deux occupations : (deux infinitifs) …………………….
3. (groupe participial) ……………………, ils applaudirent leur groupe préféré.

6 **J'APPLIQUE pour lire**

Monsieur le Président,
Me permettez-vous de vous dire que votre étoile, si heureuse jusqu'ici, est menacée de la plus honteuse, de la plus ineffaçable des taches, cette abominable affaire Dreyfus ? Un officier de l'état-major, dénoncé par ses camarades de l'état-major, condamné sous la pression des chefs d'état-major ! Mon devoir est de parler, je ne veux pas être complice. Et à qui donc dénoncerai-je les vrais coupables, malfaisants, si ce n'est à vous, le premier magistrat du pays ?

D'après Émile Zola, « J'accuse ».

a) **Souligne les appositions.**

b) **Encadre les mots qu'elles complètent.**

7 **J'APPLIQUE pour écrire**

À ton tour, dénonce une situation qui te révolte.

Consigne
- 10 lignes
- 5 appositions

Coche la couleur que tu as le mieux réussie.

☐ Relève de nouveaux défis ! ⟶ exercices 12, 13 p. 21
☐ Améliore tes performances ! ⟶ exercice 14 p. 21
☐ Prouve que tu es un champion ! ⟶ exercice 15 p. 21

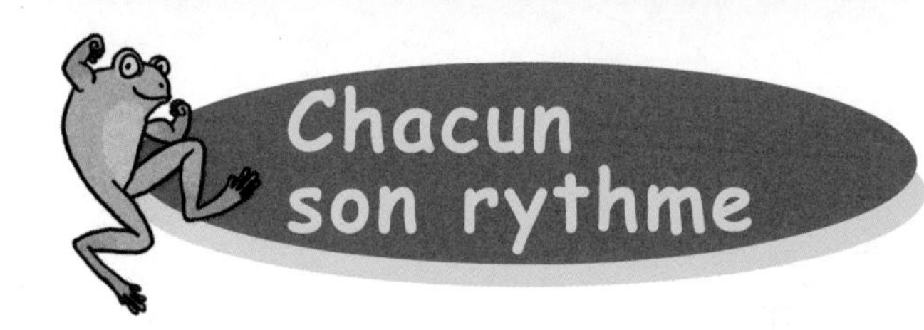

L'adjectif épithète et le complément de l'adjectif

1. Remue-méninges **Enrichis les GN avec les épithètes proposées.**

rouges • fatiguée • difficile • étonnantes • vertigineuse

une vitesse .... • des performances .... • des bottes .... • une ascension .... • une randonneuse ....

2. Quiz **Coche les phrases vraies.**

1. L'adjectif épithète est obligatoire dans un GN. ☐
2. L'adjectif épithète se place avant ou après le nom. ☐
3. Un adjectif peut être enrichi d'un complément. ☐
4. Il ne peut y avoir plus de trois épithètes dans un GN. ☐

3. Lettres mêlées **Remets les lettres en ordre pour retrouver les adjectifs de couleur que tu accorderas.**

1. Elle a de nouvelles chaussures (onramr) ....
2. Cette chemise (lueb neiram) .... te va bien.
3. Ces inscriptions (clnab) .... se voient de loin.
4. C'est une jolie maison avec des volets (trev écnfo) ....

4. Méli-mélo **Utilise ces mots pour former quatre GN comportant une ou deux épithètes.**

rapides • son • fruits • cette • voitures • exotiques • noir • gentille • leurs • quelques • fille • chien • gros • petite

....

....

5. Charade **Résous cette charade pour compléter la phrase.**

Mon premier est un petit mot qui sert à relier. **Mon deuxième** représente 1 000 kilos. **Mon troisième** ne dit pas la vérité. **Mon tout** est le complément de l'adjectif *muet* dans la phrase suivante.

Réponse : En découvrant ce spectacle, il est resté muet d'...

6. Pyramide **Remplis cette pyramide pour trouver les compléments des adjectifs.**

1. Entre moi et lui
2. Contraire de tristesse
3. Action qui peut se faire dans un four
4. Contraire de rester
5. Contraire de rater / échouer

1	☐	☐	☐				
2	☐	☐	☐	☐			
3	☐	☐	☐	☐	☐		
4	☐	☐	☐	☐	☐	☐	
5	☐	☐	☐	☐	☐	☐	☐

a. capable de ....

b. fier de ....

c. gâteau prêt à ....

d. heureux de ....

e. folle de ....

Le complément du nom et la proposition relative

7. Quiz **Coche les phrases vraies.**

1. La proposition relative contient un verbe conjugué. ☐
2. Le CDN est introduit par une préposition. ☐
3. Le CDN est placé avant le nom. ☐
4. La proposition relative est toujours introduite par *qui*. ☐

8. Méli-mélo **Utilise ces propositions relatives mélangées pour compléter les GN.**

qui se produit rarement • dont j'ai oublié le nom • où nous passons nos vacances • que je n'ai pas encore rencontré • à laquelle je n'avais pas songé

1. Le nouveau directeur, ... se nomme Monsieur Durand.
2. Je vais te montrer la maison ....
3. Voici une excellente solution ....
4. C'est une éclipse de soleil ....
5. Ils habitent dans une ville ....

9. Bouche-trous **Complète les phrases avec le pronom relatif qui convient.**

1. Je connais un autre chemin .... raccourcit le trajet.
2. Voici le livre .... je t'avais parlé.
3. L'endroit .... vous vous trouvez est un site historique.
4. Il m'a annoncé une nouvelle à .... je ne m'attendais pas.
5. Ces bibelots .... tu vois sur la cheminée appartenaient à ma grand-mère.

10. Pyramide **Complète la pyramide avec les contraires de ces verbes puis utilise-les pour inventer des propositions relatives qui compléteront les GN.**

1. Pleurer
2. Déplier
3. Ouvrir
4. Lever
5. Accélérer
6. Terminer

1								
2								
3								
4								
5								
6								

a. une chemise ....
b. un excellent ami ....
c. un livre ....
d. une fenêtre ....
e. la circulation ....
f. le jour ....

11. Remue-méninges **Complète ces GN avec les expansions demandées.**

1. un souvenir + CDN : ....
2. le lion + CDN + proposition relative : ....
....
....
3. un déguisement + adjectif épithète + CDN + proposition relative : un .... déguisement
....
....

L'apposition

12. Méli-mélo **Recopie les phrases en y insérant les appositions mélangées.**

très excités • finir premier • un homme courageux • délégué de classe

1. Paul est aussi un champion de badminton. ....
....
2. Tous les enfants l'ont applaudi. ....
....
3. Notre voisin a plongé dans l'eau glacée. ....
....
4. Il n'a qu'un but. ....

13. Quiz **Coche les phrases vraies.**

1. L'apposition donne les mêmes renseignements qu'un attribut du sujet. ☐
2. L'apposition est toujours entre virgules. ☐
3. L'apposition est toujours un GN. ☐
4. L'apposition est une expansion du GN. ☐

14. Lettres mêlées **Remets les lettres dans l'ordre pour retrouver les appositions.**

1. Cette plage (ètéurep ruop nso elbas clanb) .... accueille l'été de nombreux touristes.
2. Cet amour (ed tiept ncieh) .... a dévoré mon canapé !
3. Ce film, (irost reih) ...., est un chef-d'œuvre.

15. Vrai ou faux **Barre les groupes en gras qui ne sont pas des appositions.**

1. Mon petit frère **Louis** est très turbulent.
2. **Ce matin,** il faisait très froid.
3. Il a répondu **qu'il ne viendrait pas**.
4. **Très étonné de ta réponse,** il n'a pas osé revenir.
5. La ville **de Toulouse** est dans le sud de la France.
6. Nous passons nos vacances dans la maison **de Toulouse**.
7. Son père, **directeur de la section sportive**, nous entraîne tous les samedis.
8. J'ai un seul désir : **que tu reviennes vite**.

Bilan 8

Je sais accorder les mots à l'intérieur du groupe nominal

J'observe

Son amie italienne lui a rapporté des sacs en cuir.

Souligne les deux GN, encadre les noms noyaux.

Quelle expansion s'accorde avec le noyau ? Quelle est sa fonction ? ....

Quelle expansion ne s'accorde pas ? Quelle est sa fonction ? ....

Je retiens

COMMENT ACCORDE-T-ON LES DÉTERMINANTS ET LES ADJECTIFS ÉPITHÈTES ?

- Ils s'accordent **en genre et en nombre avec le nom noyau.**

  cette belle rose, ces beaux enfants

- L'adjectif épithète qui **se rapporte à plusieurs noms** se met au **pluriel** (au masculin pluriel si les noms ont des genres différents).

  un homme et une femme élégants

COMMENT L'APPOSITION S'ACCORDE-T-ELLE ?

- Le nom et le GN en apposition **s'accordent en genre et en nombre avec le nom noyau**.

  Épuisés et haletants, les coureurs franchissent la ligne d'arrivée.

COMMENT LE COMPLÉMENT DU NOM (CDN) ET LE COMPLÉMENT D'ADJECTIF (CDA) S'ACCORDENT-ILS ?

- Ils s'accordent **selon le sens et non avec le nom ou l'adjectif noyaux**.

  un vol d'hirondelles (plusieurs hirondelles), les rayons bricolage (= pour le bricolage), rouges de confusion (c'est un sentiment)

Je m'entraîne

1 Accorde le déterminant donné entre parenthèses au masculin singulier. Attention : il y a parfois deux solutions !

1. (le) ...... hiver • (mon) .... amies
2. (son) .... idée • (ce) .... romans
3. (ce) ...... endroit • (ce) .... histoire
4. (leur) .... avis • (quelque) .... fleurs
5. (tout) .... les quatre • (tout) .... allure
6. (nul) .... émotion • (ce) .... prix

2 Accorde les adjectifs, les participes passés et les adjectifs verbaux utilisés comme adjectifs.

1. la direction (opposé) ....

2. sa route (habituel) ....

3. le champ et la forêt (environnant) ....

4. un (beau) .... arbre

5. un (vieux) .... homme

6. une fontaine et une rivière (bouillonnant) ....

Les participes présents employés comme adjectifs prennent le nom d'**adjectifs verbaux** et sont **variables**.

3 Accorde les appositions entre parenthèses.

1. (Frileux) ...., ma mère prend une écharpe, (tricoté) .... par sa fille.

2. (Fatigué) .... par le voyage, Jules et Léa n'ont pas ouvert les paquets, (cadeau) .... de leur grand-mère.

3. Cette bague et ce bracelet, (objet précieux) ...., ont été retrouvés hier, (abandonné) .... sur un banc.

4 Accorde les mots ou groupes entre parenthèses.

1. une rangée de (livre) .... • une lame en (acier) ....

2. des tartes (maison) .... • des maisons (exposé au vent) ....

3. des voyages (riche d'expérience) ....

4. des trains (de nuit vide de voyageurs) ....

5 Conjugue le verbe entre parenthèses au présent.

1. les spectateurs qui (arriver) .... • les fleurs qui (décorer) ....

2. moi qui (être en tête) .... • moi qui (avoir le temps) ....

3. Paul et moi qui (chanter) .... • Julie et toi qui (faire du sport) ....

JE CONSOLIDE mon orthographe

6 Choisis la bonne orthographe.

1. cette / cet ancien chalet rempli de souvenir / souvenirs

2. une boîte de bonbon / bonbons

3. un garçon et sa sœur étonnées / étonnés de ces cris de joie / joies

4. les dates limite / limites de ces produits riche /riches en vitamine / vitamines

5. ces vacances de rêve / rêves pour toi qui est /es si fatigué / fatiguée

7 Transpose ces GN au pluriel.

1. un grand-père grisonnant : ....

2. un travail envahissant : ....

3. un chapeau marron à rayures : ....

MÉTHODE 1 Comment distinguer l'épithète, le CDN et l'apposition ?

L'épithète, le CDN et l'apposition sont des expansions du GN. Comment les différencier ?

J'identifie la classe grammaticale

Ces **expansions** peuvent être :

- un **adjectif**, un groupe adjectival ou un équivalent (participe, groupe participial).

  jaune / rouge de colère, effrayé / étonné de cette nouvelle

- un **nom**, un GN ou un équivalent (infinitif, pronom...).

  sable, rouge vif, rêver, apprendre, ceci, toi...

Je vérifie que j'ai bien compris

1 Souligne les groupes nominaux et encadre les groupes adjectivaux.

grand • heureux d'être là • manger • apercevoir la mer • du vent • mon frère • la porte • surpris par la tempête • amusant • des enfants • ma voisine

Je distingue l'adjectif épithète de l'adjectif apposé

- L'adjectif épithète est placé avant ou après le nom (plusieurs épithètes peuvent se succéder).

  l'économie ***américaine****, une* ***forte*** *croissance, un devoir long et difficile*

- L'adjectif apposé est placé entre virgules, avant ou après le nom.

  Alertée par le bruit*, la jeune fille ouvrit la fenêtre.*

Je vérifie que j'ai bien compris

2 Indique si le groupe en gras est placé entre virgules ou collé au nom, apposition ou épithète.

1. un livre **passionnant** : ....
2. ma mère, **étonnée de mon retard** : ....
3. ce **long** roman : ....
4. **Épuisés**, les enfants s'endormirent : ....

3 Indique la fonction des adjectifs ou GA en gras.

1. un **excellent** acteur : ....
2. une promenade **organisée par la mairie** : ....
3. une maison, **grande et bien située** : ....
4. un paysage, **dévasté par la tempête** : ....

Je distingue le GN CDN du GN apposé

- Le **complément du nom (CDN) suit le nom** qu'il complète. Il est introduit par une **préposition** : *à (au, aux), de (du, des), en, sans, avec, pour...*

  Une tartine ***de confiture***

Le GN apposé n'est pas introduit par une préposition, il est **placé juste après le nom** ou plus souvent **séparé** de lui par une virgule ou deux points.

Ce roman, ***classique de la littérature****. Mon rêve :* ***dormir****.*

Je vérifie que j'ai bien compris

4 Repère la place du groupe en gras et coche les bonnes réponses.

	CDN	APPOSITION
1. Une envie **de dormir**	☐	☐
2. Une place **au premier rang**	☐	☐
3. Mon cousin, **le médecin**	☐	☐
4. Un bon conseil : **travailler**	☐	☐

5 Indique la fonction des GN ou GI en gras.

1. Le besoin **de savoir** : ....
2. l'arrivée **des premiers secours** : ....
3. Le seul but **de l'équipe** : **gagner la course** :
....
4. Cet événement **d'une grande importance** :
les jeux Olympiques : ....

6 Relie les groupes en gras à la bonne fonction.

1. Un fauteuil **Louis XV**
2. Mon ami **Pierre**
3. La ville **de Nantes**
4. La place **du village**

CDN
Apposition

Je sais reconnaître les exceptions

- Le CDN est parfois **placé juste après le nom**. *un café crème*
- L'apposition est **parfois introduite par *de*.** *la ville de Paris*
- **Pour les différencier**, on rétablit la préposition devant le CDN et on remplace *de* par *qui est* ou *qui s'appelle* devant l'apposition. *un café à la crème, une ville qui s'appelle Paris*

Je vérifie que j'ai bien compris

7 Surligne le groupe correspondant à la fonction en appliquant la méthode.

1. Apposition : le livre de mon frère / mon amour de frère ....
2. CDN : un sandwich jambon / un coffret cadeau ....
3. Apposition : le mois de mars / le roi de la fête ....

8 **BILAN** Lis le texte et réponds aux questions.

Cette fonction avait été remplie jusque-là par le secrétaire de la rédaction, M. Boisrenard, un vieux journaliste correct, ponctuel et méticuleux comme un employé. Depuis trente ans il avait été secrétaire de la rédaction de onze journaux différents, sans modifier en rien sa manière **de faire ou de voir.**

Guy de Maupassant, *Bel-Ami* (1885).

a) **Quelle est la fonction des expansions dans les deux GN soulignés ?** ....
b) **Quelle est la classe grammaticale et la fonction des groupes en gras ?** ....
c) **Relève dans l'ensemble du texte :**
– un GN et deux adjectifs apposés : ....
....
– deux adjectifs épithètes : ....
....

À RETENIR

- **L'adjectif épithète est à côté du nom.**
- **L'adjectif ou le GN apposé est séparé du nom.**
- **Le CDN est introduit par une préposition.**

9 Le présent de l'indicatif

J'observe

Le jour *finit*. La nuit *tombe*. Tout *dort* aux alentours. La nature *sombre* dans un parfait silence.

À quel temps les verbes en italique sont-ils conjugués ? ....

À quelle personne ? ....

Quelles sont les deux terminaisons que l'on peut observer ? ....

Je retiens

A LES TERMINAISONS DES VERBES DU 1ER GROUPE AU PRÉSENT

- Les terminaisons sont : **-e, -es, -e, -ons, -ez, -ent.** *je parl**e**, tu aim**es**, nous dans**ons***
- Elles **ne changent jamais**, même lorsque le radical finit par une voyelle. *j'étudi**e**, elles jou**ent***
- Le radical du verbe change à certaines personnes quand il finit par un **c (→ ç)**, un **g (→ ge)**, un **y (→ i)**, quand on a **é** ou **e** dans la **dernière syllabe (→ è)** et quand il **finit par et (→ ett)** ou **el → ell)**.

B LES TERMINAISONS DES VERBES DU 2E GROUPE AU PRÉSENT

- Les terminaisons sont : **-is,- is, -it, -ons, -ez, -ent.**

  *je fin**is**, tu fin**is**, il fin**it**, nous finiss**ons**, vous finiss**ez**, ils finiss**ent***
- Le radical est allongé au pluriel (*finiss-*).

C LES TERMINAISONS DES VERBES DU 3E GROUPE AU PRÉSENT

- Les terminaisons sont en général : **-s, -s, -t, -ons, -ez, ent.**
- Certains verbes du 3e groupe peuvent avoir **deux ou trois radicaux différents.**

  *je suis, nous suiv**ons*** (le radical est *sui-* au singulier, puis *suiv-* au pluriel)
- **Cas particuliers**

– ***Pouvoir, vouloir, valoir*** : **-x** aux 1re et 2e personnes du singulier. *je peu**x**, je veu**x**, tu vau**x***

– ***Dire*** et ***faire*** : **-tes** à la 2e personne du pluriel. *vous di**tes**, vous fai**tes***

– ***Offrir, ouvrir, cueillir*** : comme les verbes du 1er groupe. *j'ouvr**e**, tu offr**es**, ils cueill**ent***

– Au singulier, les **verbes en -dre** (sauf les verbes en **-indre** et **-soudre**) ont pour terminaison **-ds, -ds, -d.** *je pren**ds**, tu ven**ds**, il cou**d** ≠ je peins, il résout*

▶ Tableaux de conjugaison complets p. 126 à 128.

Je m'entraîne

1 Complète ces verbes au présent.

1. placer : nous pla.................... • ranger : nous rang.................... • partir : je pa....................

2. essuyer : tu essu.................... • semer : il s.................... • dire : vous di....................

3. appeler : j'appe.................... • prendre : tu pren.................... • mettre : je me....................

2 Conjugue les verbes suivants aux 1re personnes du singulier et du pluriel.

Infinitif	1re personne du singulier	1re personne du pluriel
remuer	....	....
oublier	....	....
nager	....	....
déplacer	....	....
achever	....	....
céder	....	....

3 Conjugue les verbes suivants à la personne indiquée.

1. joindre : je .... • sortir : il .... • venir : vous ....

2. recevoir : il .... • valoir : tu .... • faire : vous ....

3. cueillir : ils .... • résoudre : tu .... • vendre : il ....

Attention aux **verbes irréguliers**.

4 Complète ces phrases avec les verbes donnés.

1. avoir • voir • voir • être

J'en ...... des souvenirs sur cette rivière que vous .... couler. On y .... la nuit des choses qui ne .... pas !

2. croire • devoir • déplacer • raconter

Je .... que ces histoires .... être bien sinistres. Si nous nous .... vers le salon, vous nous les .... ?

3. être • sentir • entourer • crier • tressaillir • taire • entendre • résoudre

La nuit .... tranquille, mais je me .... apeuré par le silence qui m'.............................. . Un animal .... Je ...., il se ...., je n'...................... plus rien et je me .... à dormir.

5 J'APPLIQUE pour lire

La rivière n'a que des profondeurs noires où l'on pourrit dans la vase […]. Le poète dit en parlant de l'Océan :

Ô flots, que vous avez de lugubres histoires !
Flots profonds, redoutés des mères à genoux,
Vous vous les racontez en montant les marées
Et c'est ce qui vous ***fait*** *ces voix désespérées*
Que vous avez le soir quand vous ***venez*** *vers nous.*

Guy de Maupassant, *Sur l'eau* (1876).

a) Souligne un verbe du 1er groupe au présent, puis mets-le au singulier. ....

b) Encadre un verbe du 2e groupe au présent puis mets-le au pluriel. ....

c) Conjugue à toutes les personnes du présent les deux verbes en gras. ....

....

....

....

6 J'APPLIQUE pour écrire

La nuit est propice aux rêves et aux cauchemars. Raconte un rêve ou un cauchemar qui t'a marqué(e) (ou imagines-en un).

Consigne
- 10 lignes
- 10 verbes au présent et de chaque groupe

Coche la couleur que tu as le mieux réussie.

- ☐ Relève de nouveaux défis ! ⟶ exercices 1, 2 p. 32
- ☐ Améliore tes performances ! ⟶ exercices 3, 4 p. 32
- ☐ Prouve que tu es un champion ! ⟶ exercices 5, 6 p. 32

10 Le présent de l'impératif et le futur de l'indicatif

J'observe

Ne sors pas quand il fait nuit.
Tu **ne sortiras pas** maintenant.

À quelle personne les deux verbes en gras sont-ils ? ....

Recopie le verbe qui n'est pas précédé d'un pronom personnel. ....

À quoi sert ce verbe ? ....

Je retiens

QU'EST-CE QUE L'IMPÉRATIF ?

- C'est un mode qui sert à exprimer des **ordres** et des **conseils**.
- Il ne comporte que trois personnes (2e du singulier, 1re et 2e du pluriel) et le sujet n'est pas exprimé.

  prends, prenons, prenez

COMMENT CONJUGUER UN VERBE À L'IMPÉRATIF ?

- Les **terminaisons** et le **radical** sont **les mêmes qu'au présent** de l'indicatif.

  finis, finissons, finissez ; rends, rendons, rendez

- **Cas particuliers :**

– Verbes du **1er groupe** : **pas de s** à la 2e personne du singulier. *profite, mange*

– Verbes du **3e groupe** qui se conjuguent comme ceux du premier groupe (***offrir, ouvrir, cueillir***)
+ verbe ***aller*** : **pas de s** à la 2e personne du singulier. *offre, offrons, offrez ; va, allons, allez*

- **Exceptions** : ***être***, ***avoir*** et ***savoir***. *sois, soyons, soyez ; aie, ayons, ayez ; sache, sachons, sachez*

COMMENT FORMER LE FUTUR SIMPLE ?

- Les terminaisons du futur simple pour tous les verbes sont : **-ai, -as, -a, -ons, -ez, -ont**.

  *j'aimer**ai**, tu finir**as**, il s'accrocher**a**...*

- Pour le radical du futur simple, on prend l'**infinitif du verbe**, pour tous les verbes des 1er et 2e groupes, et pour une partie des verbes du 3e groupe.
- **Certains verbes du 3e groupe** ont un **radical particulier** :

– Pour les **verbes en –re**, on **enlève le -e final** de l'infinitif avant d'y ajouter les terminaisons.
*comprendre → je comprendr-**ai**, apprendre → il apprendr-**a**, cuire → nous cuir-**ons***

– Certains verbes ont des **radicaux irréguliers**. *j'ir-ai (aller), j'aur-ai (avoir), je ser-ai (être)*

– Le radical peut se terminer par **deux r**. *je pou**rr**-ai (pouvoir), je ve**rr**-ai (voir)*

Je m'entraîne

1 Conjugue ces verbes au présent de l'impératif.

1. blêmir : ....

2. louer : ....

3. lancer : ....

4. voir : ....

5. espérer : ....

6. comprendre : ....

....

Le pronom personnel se place **après** le verbe à la **forme affirmative** (avec un trait d'union), mais **avant** le verbe à la **forme négative**.

2 **Transpose au présent de l'impératif ces présents de l'indicatif.**

1. tu finis : .... • nous glissons : .... • nous l'assistons : ....
2. tu l'attrapes : .... • vous êtes : .... • vous le savez : ....
3. tu ne l'écoutes pas : .... • vous ne l'avez pas : ....

3 **Transpose au futur à la même personne du singulier et du pluriel.**

tu loues	....	....
il part	....	....
nous courons	....	....
vous tenez	....	....
ils savent	....	....
j'envoie	....	....

4 **Conjugue ces verbes au futur de l'indicatif à la personne demandée.**

1. cuire : nous .... • prévoir : ils ....
2. semer : je .... • déployer : il ....
3. nettoyer : tu .... • savoir : ils ....

Le **e** ou **é** dans la dernière syllabe du radical se **transforme en è** à **toutes les personnes** au futur.
Pour les verbes en **-yer**, le **-y-** devient **-i-** à **toutes les personnes**.

5 **J'APPLIQUE** pour écrire

Réécris ce texte du passé simple au futur.
Attention à adapter les autres temps.

Peu à peu, cependant, l'épaisseur du noir diminua. Soudain je crus sentir une ombre glisser tout près de moi ; je poussai un cri, la voix d'un pêcheur répondit. Je l'appelai, il s'approcha et je lui racontai ma mésaventure. Il mit alors son bateau bord à bord avec le mien, et tous les deux nous tirâmes sur la chaîne. L'ancre ne remua pas.

D'après Guy de Maupassant, *Sur l'eau* (1876).

....

6 **J'APPLIQUE** pour écrire

Quels conseils donnerais-tu à quelqu'un perdu la nuit dans un endroit inquiétant ?

Consigne
- 6 phrases à l'impératif

Chacun son rythme

Coche la couleur que tu as le mieux réussie.

- Relève de nouveaux défis ! → **exercices 7, 8 p. 32**
- Améliore tes performances ! → **exercice 9 p. 33**
- Prouve que tu es un champion ! → **exercices 10, 11 p. 33**

11 L'emploi du présent et du futur dans un récit

J'observe

Sur l'eau est une nouvelle de Maupassant. Vous la *lirez* pour demain. Nous en **étudierons** le premier chapitre.

Souligne le verbe au présent. Évoque-t-il une situation en train de se dérouler? ....

Le verbe en gras est au futur. Évoque-t-il une situation qui va se dérouler dans l'avenir? ....

Le verbe en italique est au futur. Par quel autre temps pourrait-on le remplacer? ....

Je retiens

DANS UN RÉCIT AU PRÉSENT

J'emploie le présent pour évoquer:

- une action ou une situation en cours = présent d'**actualité**. *Je fais mes devoirs. Je suis en 4e.*
- une description = présent de **description**. *Des vagues énormes frappent le rivage.*
- une action régulière ou habituelle = présent d'**habitude**. *Tous les jours, je lis le journal.*
- des faits toujours vrais quelle que soit l'époque = présent de **vérité générale**. Sur l'eau *est une nouvelle de Maupassant.*

J'emploie le futur pour exprimer:

- une **action qui va se produire dans l'avenir**. *Demain, nous partirons en vacances.*
- un **ordre** (équivalent de l'impératif). *Vous finirez l'exercice 2 pour demain.*
- un **fait soumis à une condition**. *S'il fait beau demain, nous irons en forêt.*

DANS UN RÉCIT AU PASSÉ

J'emploie le présent pour:

- mettre en valeur une action et rendre un instant du récit plus vivant = présent de **narration**. *Elle traversait la forêt en voiture… tout à coup, un cerf se précipite sous ses roues.*
- exprimer des faits toujours vrais quelle que soit l'époque = présent de **vérité générale**. Sur l'eau *est une nouvelle de Maupassant.*

Je m'entraîne

1 Indique s'il s'agit d'un présent d'actualité, d'habitude ou de vérité générale.

1. Que fais-tu? J'écris à ma cousine. ....
2. L'homme appartient au règne animal. ....
3. Aujourd'hui, elle se sent fiévreuse. ....
4. Chaque soir après les cours, ils font leurs devoirs. ....
5. La France s'étend sur plus de 500 000 km². ....
6. Le samedi matin, nous faisons les courses de la semaine. ....

2 Indique si le futur exprime un fait qui va se produire, un ordre ou un fait soumis à condition.

1. Dans dix jours, nous connaîtrons le lauréat du Goncourt. ....

2. S'il est en retard, nous irons à la séance suivante. ....

3. Vous apporterez votre livre. ....

3 Indique le temps des verbes en gras et justifie leur emploi.

1. À condition que tu sois sage, tu **auras** un ordinateur à Noël. ....

2. Quand il pleut, vous **sortez** toujours avec un parapluie. ....

3. La plaine **s'étend** jusqu'au village, ses toits **apparaissent** à l'horizon. ....

4 Conjugue au présent ou au futur. Justifie cet emploi en donnant la valeur du temps.

1. Il acheta un ouvrage de Maupassant. Maupassant (être) .... un auteur de nouvelles fantastiques. ....

2. L'année prochaine, nous (passer) .... le brevet. ....

3. Elle (porter) .... une longue robe rouge et des ballerines assorties. ....

4. En admettant que tu aies réussi le dernier contrôle, tu (avoir) .... une bonne moyenne. ....

5. Pendant les vacances, Enzo ne (se lever) .... jamais avant 14 h 00. ....

6. Le vent soufflait de plus en plus fort… L'arbre, à force d'être secoué, (tomber) .... d'un coup sec. ....

5 J'APPLIQUE pour lire

Je vous **demande** pardon de vous donner l'ennui d'une noce de province. […] Pourtant, vous verrez une mariée… une mariée… vous m'en direz des nouvelles… Mais vous **êtes** un homme grave et vous ne regardez plus les femmes. J'ai mieux que cela à vous montrer. Je vous ferai voir quelque chose !...

Prosper Mérimée, *La Vénus d'Ille* (1837).

a) Souligne les verbes au futur. Quel est leur emploi ? ....

....

b) Donne la valeur des présent en gras.

....

6 J'APPLIQUE pour écrire

À ton tour, évoque devant un ami la fête grandiose que tu organises le lendemain. Raconte-lui, au futur, ce à quoi il va assister.

Consigne
- 10 lignes
- verbes en majorité au futur
- 2 verbes au présent de description

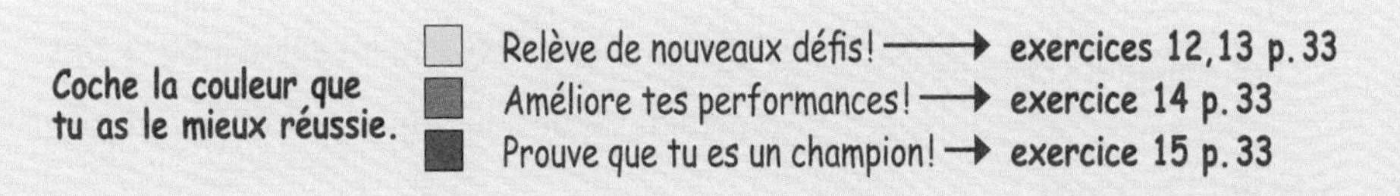

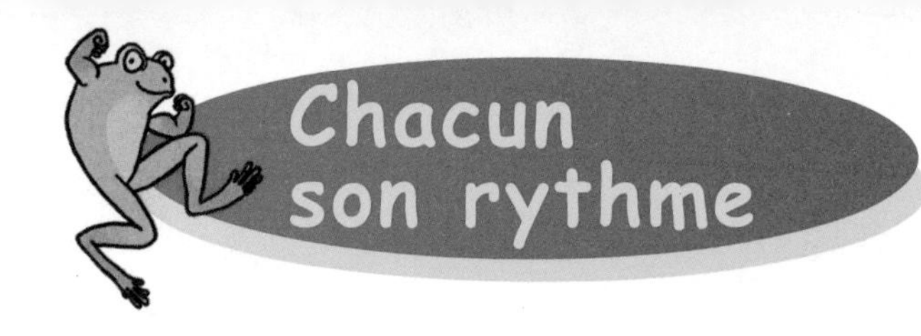

Le présent de l'indicatif

1. Quiz **Coche les phrases vraies.**

Au présent de l'indicatif:

☐ les verbes ont tous une terminaison en -ons à la 1re personne du pluriel.

☐ les verbes se terminent tous en -s à la 2e personne du singulier.

☐ *pouvoir* prend un -x aux deux premières personnes du singulier.

☐ *faire* est un verbe irrégulier.

☐ *peindre* a pour terminaison -ds, -ds, -d au singulier.

2. Chasse aux intrus **Barre les verbes qui n'appartiennent pas au 1er groupe.**

il lance • elle attrape • vous voyez • nous prenons • il suit • tu cueilles • elle partage • ils soignent • tu veux • elle largue • je relâche

3. Casse-tête **Retrouve six infinitifs du 2e groupe, puis conjugue-les pour compléter les phrases.**

prendrefinirtirerpasserpartircroupirtirervomirlancerjouer aimerapplaudirratertendreblanchirjeterpartirblêmir

1. Je parie que je .... avant toi.
2. Vous .... en fond de cale depuis plus d'un mois !
3. Il est tellement secoué par les vagues qu'il ....
4. L'attaque a réussi : les militaires .... leur capitaine.
5. Nous .... le linge, pour satisfaire nos supérieurs.
6. Face au danger, il ....

4. Jeu du pendu **Retrouve les verbes de ces phrases (une lettre par tiret).**

1. Ils e _ _ _ _ _ _ _ _ un pigeon voyageur.
2. Elle l _ _ _ _ _ _ le prisonnier.
3. Nous m _ _ _ _ _ _ _ _ beaucoup durant les festins.
4. Vous f _ _ _ _ _ _ _ _ tout juste de frotter.
5. Nous r _ _ _ _ _ _ _ _ _ _ nos équipiers les plus fatigués.
6. Je p _ _ _ rattraper n'importe qui à la nage !

5. Lettres mêlées **Remets les lettres dans l'ordre pour trouver un infinitif. Puis conjugue-le au présent pour compléter la phrase.**

1. NARMEG : ....
Nous .... au restaurant.
2. PÉDECLAR : ....
Nous .... les meubles pour la fête de ce soir.
3. ÉTRICRÉR : ....
Les parts .... à chaque repas...
4. RAIVOS : ....
Je .... ce que tu penses.
5. FRIFRO : ....
Elle m'.................... toujours de superbes présents.
6. SÉUDRERO : ....
Tu .... l'affaire avec rapidité !

6. Charade

Mon premier est un objet que l'on jette pour jouer.
Mon second est l'objet dans lequel on sert la nourriture.
Mon troisième est la troisième lettre de l'alphabet.
Mon tout est un verbe de mouvement que tu conjugueras pour compléter la phrase.
Réponse : ....
Nous nous .... toujours en voiture.

Le présent de l'impératif et le futur de l'indicatif

7. Chasse à l'intrus **Barre les formes verbales qui ne peuvent pas être des impératifs.**

barres • chasse • attrapes • court • louons • pars • vise • avance • libère • délies • finis • partez • fleurissons • participez • espèrent • saisissez

8. Quiz **Coche les phrases vraies.**

Au futur simple:

☐ le radical se termine toujours par -r.

☐ au 2e et 3e groupes, le radical est toujours l'infinitif du verbe.

☐ les terminaisons changent selon les groupes.

☐ certains verbes du 3e groupe ont un radical en -rr-.

9. Pyramide **Pour compléter la pyramide, trouve les verbes correspondant aux définitions et conjugue-les au futur à la personne demandée.**

1. Se rendre à un endroit ; 3e personne du singulier.
2. Parcourir un livre ; 3e personne du singulier.
3. Contraire de pleurer ; 1re personne du singulier.
4. Hurler ; 3e personne du singulier.
5. Percevoir par la vue ; 1re personne du pluriel.
6. Contraire de partir ; 1re personne du singulier.

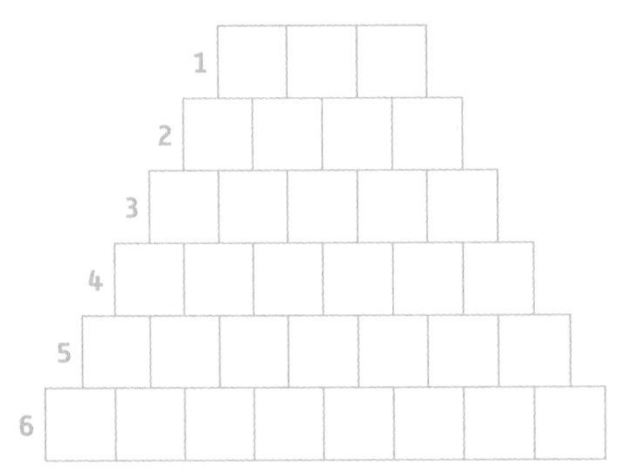

10. Lettres mêlées **Remets ces lettres en ordre pour retrouver les verbes au futur ou à l'impératif. Souligne en rouge les futurs et en bleu les impératifs.**

1. Tu y (privesnarda) .... en temps et en heure.
2. Ne (sosi) .... pas en retard.
3. N'(boilue) .... pas de m'apporter ton devoir dès demain.
4. Je (roicrau) .... pour être à l'heure s'il le faut.
5. Nous (dostinner) .... jusqu'au bout.

11. Devinette **Barre les futurs et les impératifs et trouve l'énoncé d'une devinette que tu devras résoudre.**

prendsqu'lanceseraestferaidéplionspartirezpourrace tirequilancerontdélieronspeutlispasser cueillerontà travers loueunedéplacefenêtreirezmourrontsansdoubleraiallezla pourrontcasser ?

Devinette : ....
....
....

Réponse : ....
....

L'emploi du présent et du futur dans un récit

12. Quiz **Coche les phrases vraies.**

Le présent peut servir à exprimer des vérités générales. ☐

On peut trouver des phrases au présent dans des textes au passé. ☐

On trouve parfois du futur de l'indicatif dans un texte au passé. ☐

13. Range-mots **Classe les verbes au futur selon leur valeur.**

1. Le train partira demain à 17 h 00.
2. Si tu pars vivre en Normandie, tu achèteras une voiture.
3. Tu passeras me voir demain, dès que possible.

Ordre	Action à venir	Action soumise à une condition
....	....	....

14. Range-phrases **Relie les phrases au présent à leurs valeurs.**

1. La nuit est sombre. • • actualité
2. Il se rend au lac chaque jour. • • vérité générale
3. *Sur l'eau* est une nouvelle de Maupassant. • • description
4. En ce moment, le soleil rayonne sur la plaine. • • habitude

15. Labo des mots **Complète le tableau.**

Phrases	Temps	Valeur
....	....	action à venir
....	....	description
Nous courons chaque lundi.	....	....
Vous mettrez vos manteaux pour sortir.	....	....

12 L'imparfait de l'indicatif

J'observe

Je songeais à tout cela en suivant le bord de l'eau. Le soleil couvrait la rivière de ses rayons, rendait la terre délicieuse, me ravissait.

D'après Guy de Maupassant, *Le Horla* (1887).

Souligne les verbes conjugués. Relève, pour chacun d'eux, la terminaison. ....

De quel temps s'agit-il ? ....

Quelle lettre précède la terminaison du verbe *songer* ? ....

Je retiens

A LES TERMINAISONS DES VERBES À L'IMPARFAIT

- **Pour tous les groupes**, les terminaisons sont : **-ais, -ais, -ait, -ions, -iez, -aient**.

  je chantais, il finissait, vous disiez

B QUEL EST LE RADICAL UTILISÉ À L'IMPARFAIT ?

- On utilise le **radical de la 1re personne du pluriel** du présent.

1re personne du pluriel présent	Radical	Imparfait
nous payons	**pay-**	je **pay**ais
nous finissons	**finiss-**	je **finiss**ais
nous faisons	**fais-**	je **fais**ais

C CAS PARTICULIERS

- Le verbe ***être*** ne forme pas son radical sur le présent mais emploie le radical **ét-**.

  *j'étais, tu **étais**, il **était**…*

- Les verbes en **-ger** prennent un **-e** intercalaire, sauf aux deux premières personnes du pluriel.

  *je **mangeais** mais nous **mangions***

- Les verbes en **-cer** prennent une cédille, sauf aux deux premières personnes du pluriel.

  *je **plaçais** mais vous **placiez***

▶ Tableaux de conjugaison complets p. 126 à 128.

Je m'entraîne

Les terminaisons s'ajoutent aussi aux radicaux qui se terminent par -i, -y ou -u.

1 Complète avec les terminaisons de l'imparfait.

1. il donn.......... • tu pens.......... • on tapiss.......... • je viv.......... • ils pouv..........

2. elle cré.......... • nous aim.......... • vous vers.......... • je jou.......... • nous suiv..........

3. nous pay.......... • ils navigu.......... • vous pri.......... • vous régn.......... • je convoqu..........

2 Complète le tableau.

Verbe	saisir	boire	aller	peindre
Présent	nous	nous	nous	nous ....
Radical de l'imparfait	....	....	....	....
Imparfait	je .... vous .... ils	il .... nous .... elles	tu .... nous .... vous	tu .... nous .... vous ....

3 Conjugue à l'imparfait.

1. sauter : il .... • être : tu .... • aller : vous .... • dire : ils ....
2. vomir : je .... • prendre : on .... • unir : nous .... • écrire : j'....................
3. fuir : nous .... • manger : tu .... • effacer : ils .... • rire : vous ....

4 Transforme à l'imparfait.

1. nous rayons : .... • tu fournis : tu .... • vous criez : ....
2. il va : .... • ils rongent : .... • nous laçons : .... • je sais : ....
3. tu crains : .... • elle jette : .... • ils font : .... • je cède : ....

5 Dans chacune des phrases, souligne les verbes conjugués et transforme à l'imparfait.

1. La centrale produit beaucoup d'électricité, elle fournit toute la région.

....

2. Tu vois bien qu'ils ne boivent que de l'eau.

....

3. Puisque vous repeignez la barrière, vous vous habillez avec de vieux vêtements.

....

6 J'APPLIQUE pour lire

Peu à peu, cependant, un malaise inexplicable me pénétrait. Une force, me semblait-il, une force occulte m'engourdissait, m'arrêtait, m'empêchait d'aller plus loin, me rappelait en arrière. J'éprouvais ce besoin douloureux de rentrer qui vous **oppresse**, quand on a laissé au logis un malade aimé, et que le pressentiment vous **saisit** d'une aggravation de son mal.

Guy de Maupassant, *Le Horla* (1887).

a) **Souligne les verbes à l'imparfait.**

b) **À quel temps les verbes en gras sont-ils ?** ....

c) **Transforme-les à l'imparfait.**

....

....

7 J'APPLIQUE pour écrire

Toi aussi, raconte un instant où une maladie ou un malaise t'ont empêché(e) d'agir comme tu l'aurais voulu.

Consigne
- 10 lignes
- 12 verbes à l'imparfait

Coche la couleur que tu as le mieux réussie.

- ☐ Relève de nouveaux défis ! → exercices 1, 2 p. 40
- ☐ Améliore tes performances ! → exercice 3 p. 40
- ☐ Prouve que tu es un champion ! → exercice 4 p. 40

13 Le passé simple de l'indicatif

J'observe

Elle fut tellement surprise que je n'osai pas insister. J'essayai pourtant de ranimer sa mémoire, mais elle nia avec force, crut que je me moquais d'elle, et faillit, à la fin, se fâcher.

D'après Guy de Maupassant, *Le Horla* (1887).

Encadre le verbe à l'imparfait et souligne les autres verbes. À quel temps sont-ils ? ....

Relève la terminaison des verbes du 1er groupe ? ....

Quelles sont les autres terminaisons des verbes à la 3e personne ? ....

Je retiens

A LES TERMINAISONS DES VERBES AU PASSÉ SIMPLE

Verbes	Terminaisons	Exemples
Verbes du 1er groupe + *aller*	**-ai, -as, -a, -âmes, -âtes, -èrent**	*je chantai, nous parlâmes, ils allèrent*
Verbes du 2e groupe + certains verbes du 3e groupe	**-is, -is, -it, -îmes, -îtes, -irent**	*je finis, il prit, vous dîtes*
D'autres verbes du 3e groupe + *être* et *avoir*	**-us, -us, -ut, -ûmes, -ûtes, -urent**	*il voulut, vous fûtes, ils eurent*
Tenir, venir et leurs composés	**-ins, -ins, -int, -înmes, -întes, -inrent**	*tu tins, il parvint, vous retîntes*

B QUEL EST LE RADICAL UTILISÉ?

- Pour les verbes des 1er et 2e groupes : radical de l'infinitif. *il **aim**a, vous **fin**îtes*
- Pour les verbes du 3e groupe : radical de l'infinitif ou radical modifié. *il **cueill**it, je **pr**is, il **b**ut, nous **t**înmes*

C CAS PARTICULIERS

- ***Être*** : *je fus, tu fus...* ; ***avoir*** : *j'eus, tu eus...*
- ***Faire*** : *je fis, tu fis...* ; ***voir*** : *je vis, tu vis...* ; ***dire*** : *je dis, tu dis...* ; ***naître*** : *je naquis, tu naquis...* ; ***pouvoir*** : *je pus, tu pus...* ; ***savoir*** : *je sus, tu sus...* ; ***devoir*** : *je dus, tu dus...* ; ***vivre*** : *je vécus, tu vécus...* ; ***falloir*** : *il fallut*, etc.

▶ Tableaux de conjugaison complets p. 126 à 128.

Je m'entraîne

N'oublie pas que, devant les terminaisons en -a, les verbes en -ger prennent un **-e-** et les verbes en -cer, une **cédille**.

1 Complète ces verbes des 1er et 2e groupes au passé simple.

1. je jou..... • nous surg.......... • vous dans.......... • tu rê..... • ils pâl..........

2. il aér..... • il fin..... • vous aim.......... • il chois.......... • ils cuisin..........

3. tu nag.......... • je roug..... • je dépe..... • nous mang.......... • ils noirc..........

2 Retrouve l'infinitif de ces verbes du 3e groupe.

1. je dis: .... • nous apprîmes: .... • il connut: ....
2. il vécut: .... • il mit: .... • ils surent: ....
3. nous vîmes: .... • tu dus: .... • nous crûmes: ....

3 Conjugue au passé simple ces verbes du 3e groupe.

1. vouloir: il .... • être: vous .... • partir: nous .... • contenir: je ....
2. courir: vous .... • vivre: ils .... • naître: tu .... • mourir: elle ....
3. rire: il .... • écrire: nous .... • instruire: j' .... • dire: ils ....

4 Transforme au passé simple.

1. il nage: .... • nous saisissons: .... • je vais: .... • tu places: ....
2. je préviens: .... • ils mettent: .... • tu bois: .... • vous faites: ....
3. il faut: .... • nous incluons: .... • je crains: ....

5 Réécris ces phrases au passé simple.

1. Il ne ralentissait pas mais marchait plus vite. ....
2. Tu étais enchanté lorsque tu recevais un cadeau. ....
3. Elle faisait un gâteau pour son anniversaire et le cuisait au four. ....

6 Souligne les verbes au présent et surligne ceux au passé simple. Attention aux pièges.

je construis • il pâlit • tu dis • il cuit • tu parvins • j'enduis • il sortit • je prie • il mit • tu inscris • elle reluit • je pris • il vit • tu recueillis

7 J'APPLIQUE pour lire

Ce qui s'est passé la nuit dernière est tellement étrange, que ma tête **s'égare** quand j'y **songe**! Comme je le **fais** maintenant chaque soir, j'avais fermé ma porte à clef; puis, ayant soif, je bus un demi-verre d'eau [...]. Je me couchai ensuite et je tombai dans un de mes sommeils épouvantables, dont je fus tiré au bout de deux heures environ par une secousse plus affreuse encore.

Guy de Maupassant, *Le Horla* (1887).

a) **Souligne les verbes au passé simple.**

b) **Transpose-les à la 1re personne du pluriel.**

....

....

c) **À quel temps les verbes en gras sont-ils conjugués ?** ....

d) **Transforme-les au passé simple.** ....

....

8 J'APPLIQUE pour écrire

Que se passe-t-il ensuite ? Raconte les événements auxquels assiste le personnage après son réveil brutal. Tu conserveras la 1re personne du singulier.

Consigne
- 10 lignes
- 10 verbes au passé simple

Chacun son rythme

Coche la couleur que tu as le mieux réussie.

- Relève de nouveaux défis! → exercices 5, 6 p. 40
- Améliore tes performances! → exercice 7, 8 p. 40
- Prouve que tu es un champion! → exercice 9 p. 40

14 L'emploi des temps du passé dans un récit

J'observe

On me conduisit dans le jardin public, au bout de la cité. Je poussai un cri d'étonnement. Une baie démesurée s'étendait devant moi [...] ; et au milieu de cette immense baie jaune, sous un ciel d'or et de clarté, s'élevait sombre et pointu un mont étrange au milieu des sables.

Guy de Maupassant, *Le Horla* (1887).

À quels temps les verbes sont-ils conjugués ? ....

Relève les deux verbes qui servent à décrire le paysage. ....

À quel temps sont-ils ? ....

Je retiens

Dans un récit au passé, le **passé simple** et l'**imparfait** s'utilisent **en alternance** car ils ont des emplois complémentaires.

QUAND UTILISER LE PASSÉ SIMPLE?

Le passé simple s'emploie pour :

- les actions de **premier plan** dans le récit, **actions brèves**, **uniques** et souvent **successives**.
  Il prit son manteau, claqua la porte et descendit en courant l'escalier.
- les actions bien **datées**. *Ce jour-là, je me cassai la jambe.*
- les actions dont la **durée** est **limitée** et **connue**. *Ils sortirent un instant. Il resta alité dix jours.*

QUAND UTILISER L'IMPARFAIT?

L'imparfait s'emploie pour :

- les actions d'**arrière-plan** dans le récit, actions qui servent de cadre à l'action principale.
  Elle travaillait, elle sursauta quand le téléphone sonna.
- les actions dont la **durée** reste **indéterminée**. *Nous lisions* Le Horla.
- les **descriptions**. *La campagne s'étendait à perte de vue.*
- les actions qui se répètent, les **habitudes**. *Tous les lundis, il se levait à 7 h 00.*

Je m'entraîne

1 Indique l'emploi des passés simples en gras.

1. Il **arriva** à 14 h 00, **but** un rapide café et **repartit**.	•	• premier plan
2. En 1968, il y **eut** à Paris d'importantes manifestations.	•	• action datée
3. Je lisais, il me **tapa** sur l'épaule pour avoir mon attention.	•	• durée limitée
4. En un quart d'heure, ils **finirent** leurs devoirs.	•	

2 **Indique l'emploi des imparfaits en gras, selon qu'ils marquent l'arrière-plan, la description, une durée indéterminée ou l'habitude.**

1. Le soleil **brillait**, une douce brise nous **caressait** l'échine. ....
2. Ils **couraient** en tous sens, lorsque le professeur siffla. ....
3. La conférence **était** ennuyeuse. Vous **sommeilliez** sur le banc. ....
4. Nous ne **buvions** jamais d'alcool au déjeuner. ....

3 **Souligne les imparfaits, surligne les passés simples et justifie leur emploi.**

1. Ce jour-là, Paul quitta (..................) son travail une heure plus tôt.
2. Vous attendiez (..................) l'autobus lorsque l'accident se produisit (..................).
3. Elle apparut (..................) soudain à l'angle de la rue; sa beauté rayonnait (..................)!

4 **Transforme les verbes au présent en utilisant l'imparfait ou le passé simple.**

1. Tous les soirs, il se promène .... le long du fleuve puis se couche .... tôt.
2. Avant de rejoindre son lit, il remplit .... sa carafe et la place .... auprès de lui.
3. Mais cette nuit-là, il ne trouve .... pas le sommeil et s'agite ....
4. La chambre semble .... calme pourtant, l'armoire le couvre .... de son ombre.
5. Tandis qu'il regarde .... autour de lui, il s'aperçoit .... qu'elle est .... vide!
6. Il prend .... peur, saute .... hors du lit et saisit .... brusquement la mystérieuse carafe.

D'après Guy de Maupassant, *Le Horla* (1887).

5 J'APPLIQUE pour lire

Je fermai les yeux. [...] Et je me mis à tourner sur un talon, très vite, comme une toupie. Je faillis tomber; je rouvris les yeux; les arbres dansaient, la terre flottait. Je dus m'asseoir. Puis, ah! Je ne **savais** plus du tout par où j'étais venu! [...] Je ne savais plus du tout!

Guy de Maupassant, *Le Horla* (1887).

a) **Souligne les verbes au passé simple et justifie leur emploi.** ....

b) **Relève deux imparfaits de description.**

....

c) **À quel temps le verbe en gras est-il ? Justifie son emploi.** ....

5 J'APPLIQUE pour écrire

Réécris le texte suivant au passé pour retrouver l'extrait original du *Horla* de Maupassant. Respecte bien les emplois du passé simple et de l'imparfait.

J'ai soif de nouveau; j'allume une bougie et je vais vers la table où est posée ma carafe. Je la soulève en la penchant sur mon verre; rien ne coule. – Elle est vide! Elle est vide complètement. D'abord je n'y comprends rien; puis, tout à coup, je ressens une émotion si terrible que je dois m'asseoir, ou plutôt que je tombe sur une chaise!

....

....

....

....

....

....

....

Coche la couleur que tu as le mieux réussie.

- ☐ Relève de nouveaux défis! → exercice 11 p. 41
- ☐ Améliore tes performances! → exercices 12, 13 p. 41
- ☐ Prouve que tu es un champion! → exercices 14, 15 p. 41

Chacun son rythme

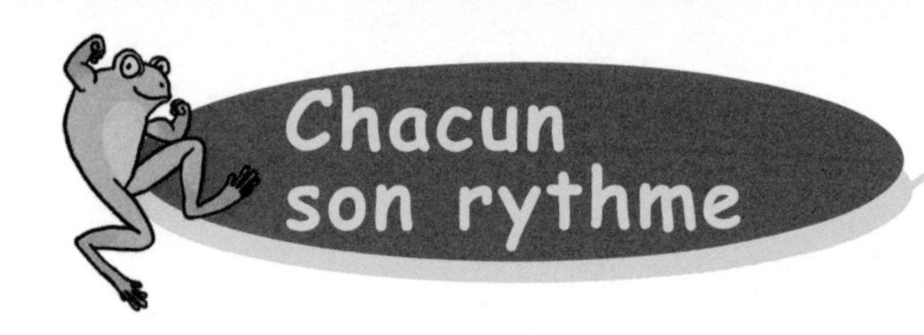

L'imparfait de l'indicatif

1. Vrai ou faux **Coche les phrases vraies.**

À l'imparfait :

☐ le 3e groupe n'a pas les mêmes terminaisons que les 1er et 2e groupes.

☐ les verbes en -ger prennent, à certaines personnes, un -e- entre le radical et la terminaison.

☐ on utilise le radical de la 1re personne du pluriel présent.

☐ lorsque le radical se termine par y, le i disparaît aux 1re et 2e personnes du pluriel.

2. Chasse à l'intrus **Barre les verbes qui ne sont pas conjugués à l'imparfait.**

nous aimions • je riais • tu tombas • ils s'envolent • vous payiez • il courait • vous sciez • elles dormaient • je rêvai

3. Remue-méninges **Mets ces phrases à l'imparfait.**

1. Tu perces un trou. ....
2. Ils nagent très vite. ....
3. Nous rions à gorge déployée. ....
4. Il achète un livre. ....

4. Lettres mêlées **Remets les lettres dans l'ordre pour former un infinitif. Complète ensuite les phrases en conjuguant ces verbes à l'imparfait.**

1. RROICE : ....
Vous .... qu'ils avaient rendu leur devoir à temps.
2. PELARPE : ....
Il .... sa sœur chaque semaine.
3. RDNAECRI : ....
Nous .... de le déranger.
4. ERTATNDE : ....
Elles .... leur tour.
5. PERADENPR : ....
Tu n'.......... pas par cœur.

Le passé simple de l'indicatif

5. Quiz **Coche les phrases vraies.**

Au passé simple :

☐ les terminaisons -is, -is, -it, -îmes, -îtes, -irent ne valent que pour les verbes du 2e groupe.

☐ les formes du singulier du 2e groupe sont identiques à celles du présent.

☐ il y a quatre sortes de terminaisons.

☐ *venir, tenir* et leurs dérivés ont une conjugaison particulière.

6. Chasse à l'intrus **Barre les formes qui n'existent pas.**

nous volîmes • il finit • vous parlâtes • je mangea • ils nettoyèrent • tu envoyas • il rougissa • elles pâlirent

7. Verbes à la loupe **Souligne en bleu les verbes au présent et en rouge les verbes au passé simple.**

je peins • il dansa • je marchai • nous finîmes • elles surent • je vaincs • elles vénèrent • tu retins

8. Méli-mélo **Conjugue les infinitifs au passé simple pour compléter le texte.**

PRÉVENIR PARVENIR PARTIR DORMIR AVOIR CREVER DEVOIR

Elle .... en voiture chez ses parents. Durant le trajet, un pneu ...., elle .... très peur ! Elle .... s'arrêter pour le faire changer. Elle .... ses parents et .... alors à l'hôtel. Elle ne .... chez eux que deux jours plus tard.

9. Charade

Mon premier est le passé simple du verbe *lire* à la 3e personne du singulier.
Mon deuxième est le passé simple du verbe *mettre* à la 1re personne du singulier.
Mon troisième est la terminaison de la 3e personne du pluriel des verbes du 1er groupe au passé simple.
Mon tout, alors, s'éclairera !
Réponse : ....

10. Remue-méninges **Complète ces couples de phrases avec des formes verbales homophones. Attention : elles ne sont pas toutes au passé simple.**

1. Il se .... à la tâche pour progresser en français.
Il se .... après avoir achevé son discours.
2. Je .... un gâteau pour son anniversaire.
Je me .... à toi pour l'organisation de notre voyage.
3. Il me .... son dernier livre, j'en suis fière !
Il se .... la veille du départ et refusa de venir. Quelle ingratitude !
4. Lorsque le serpent ...., il perd sa peau.
Lorsque le serpent ...., nous prîmes peur.

L'emploi des temps du passé dans un récit

11. Quiz **Coche quand la phrase est vraie.**

1. L'imparfait et le passé simple sont interchangeables dans un récit. ☐
2. Le passé simple s'emploie pour évoquer les actions bien datées. ☐
3. Dans un récit, les actions qui se succèdent sont à l'imparfait. ☐
4. Dans un récit, on emploie l'imparfait pour évoquer les habitudes. ☐

12. Jeu du pendu **Retrouve les verbes de ces phrases, conjugués à l'imparfait ou au passé simple (une lettre par tiret).**

1. Tous les mois, je r _ _ _ _ _ _ visite à mon médecin.
2. Il arrêta le réveil, repoussa la couette et s _ _ _ _ dans son pantalon.
3. Cette après-midi-là, il f_ _ vraiment très froid.
4. Elle é _ _ _ _ _ _ _ _ une lettre à son époux, lorsque les premiers cris retentirent.
5. Ils e _ _ _ _ _ _ _ _ _ _ _ _ d'entrer quand notre père arriva.
6. Nous p _ _ _ _ _ _ _ _ _ _ _ _ _ pendant une heure.

13. Range-phrases **Range les phrases suivantes par leur numéro dans la bonne colonne.**

1. La maisonnette offrait aux passants ses jolis volets bleus et ses rosiers en fleurs.
2. C'est ce jour-là que nous fîmes la rencontre de Marie.
3. Au petit déjeuner, je buvais toujours du café puis du thé.
4. Tous les week-ends, je partais en Normandie.
5. Vers 19 h 00, il pénétra dans le restaurant.

Imparfait de description	Imparfait d'habitude	Passé simple d'action datée
....	....	....
....	....	....

14. Lettres mêlées **Retrouve les six passés simples et les deux imparfaits cachés dans la grille.**

F	I	T	L	U	T
I	A	A	I	I	I
L	A	I	M	S	N
A	L	L	A	I	S
I	T	L	I	A	S
T	R	A	M	A	I

15. Pyramide **Complète la pyramide avec les contraires. Conjugue-les à l'imparfait pour compléter les phrases.**

1. Mettre
2. Dire
3. Pâlir
4. Lever
5. Immobiliser

1							
2							
3							
4							
5							

a. Mes parents me faisaient de nombreux compliments, je .... de plus en plus.
b. Il avait tout dit. Désormais, il se ....
c. Sa mère .... toujours nos affaires. Ce jour-là, elle se mit en colère.
d. Quand elle était fatiguée, elle s'.. au fond du canapé.
e. Chaque fois que vous passiez la porte, vous .... vos chaussures.

15 Conjugaison et emplois du conditionnel

J'observe

Le beau temps **durerait** encore toute la semaine. Nous **serions** heureux !
Tu **posséderais** un château…

Isole le radical et la terminaison des verbes en gras. ……………………………………

Par quelle lettre tous les radicaux sont-ils terminés ? ……………………………………

Quel temps de l'indicatif possède ces terminaisons ? ……………………………………

Je retiens

A COMMENT CONJUGUE-T-ON LE CONDITIONNEL ?

- **Conditionnel présent** = même radical que le futur + terminaison de l'imparfait.
  *je plier**ais**, nous grandir**ions***
- **Conditionnel passé** = auxiliaire (*être* ou *avoir*) au conditionnel présent + participe passé.
  j'aurais plié, nous aurions grandi

B QUELS SONT LES EMPLOIS DU CONDITIONNEL ?

- Le **futur dans le passé** : le conditionnel remplace le futur dans les textes au passé.
  *Il m'annonce qu'il **viendra**. → Il m'annonça qu'il **viendrait**.*
- L'**affirmation atténuée** : le conditionnel permet de présenter une demande, un souhait, un regret de façon plus polie.
  *Je **voudrais** lui envoyer un billet. **Auriez**-vous une minute à m'accorder ?*
- L'**information non confirmée** : une information transmise au conditionnel n'est pas sûre.
  *Un incendie **dévasterait** la forêt. Le vent **aurait soufflé** cette nuit à 200 km/h.*
- Une **situation imaginaire**, souvent envisagée par jeu.
  *Je **ferais** le tour du monde. J'**irais** sur la Lune. Tu **serais** le prince et moi la princesse…*
- Une **hypothèse** ou une **action soumise à une condition** : le conditionnel s'utilise alors lorsque la condition est exprimée par *si* + imparfait ou par un GN.
  *Au cas où nous **serions** en retard, les clés seront sous le paillasson.*

▶ Tableaux de conjugaison complets p. 126 à 128.

Je m'entraîne

1 Conjugue au conditionnel présent à la personne indiquée.

1. nous (jouer) ……………… • je (grandir) ……………… • ils (sentir) ………………

2. il (être) ……………… • j'(étudier) ……………… • tu (mettre) ………………

3. nous (savoir) ……………… • vous (voir) ……………… • vous (inclure) ………………

Si le verbe passe à l'**imparfait**, remplace le futur par un **conditionnel**.

2 Réécris ces phrases en mettant les verbes en gras à l'imparfait.

1. Paul **pense** que sa cousine appréciera sa lettre. ....

2. Je **crois** que mes parents me permettront de venir. ....

....

3. Il **dit** qu'il nous rejoindra quand il aura fini son dessin. ....

....

3 Indique si les conditionnels en gras expriment une affirmation atténuée ou une information non confirmée.

1. Nous ne **voudrions** pas vous déranger. ....

2. Son avion **aurait** une heure de retard. ....

3. J'**aurais** besoin d'un renseignement. Un avion s**e serait écrasé** au sol. ....

....

4 Indique si les conditionnels en gras expriment une situation imaginaire ou une action soumise à une condition.

1. Si j'étais à ta place, je **partirais** très tôt. ....

2. Sans ton aide, je n'y **arriverais** pas. ....

3. Je **volerais** comme un oiseau et j'**irais** te rejoindre chaque soir. ....

5 Transforme ces phrases en utilisant le conditionnel d'affirmation atténuée.

1. Je ne veux pas rester longtemps. ....

2. Il m'a menti ? ....

3. As-tu envie de faire une promenade ? ....

6 J'APPLIQUE pour lire

Hier, Julie m'a annoncé qu'elle irait acheter *La Vénus d'Ille*.
– Voudrais-tu m'accompagner ? dit-elle.
– Que raconte ce texte ?
– C'est l'histoire d'une statue qui aurait des pouvoirs maléfiques, et qui serait capable de tuer.
– J'adore la littérature fantastique ! Si je pouvais, je ne lirais rien d'autre.

a) Réécris la première phrase du texte en commençant par : « Aujourd'hui ... »

....

....

b) À quel temps as-tu mis le verbe souligné ?

....

c) Relève quatre autres verbes au conditionnel et place-les sur la bonne ligne.

– Action soumise à une condition : ....
– Affirmation atténuée : ....
– Information non confirmée : ....

7 J'APPLIQUE pour écrire

Rédige un texte qui commencera par : « Si j'étais... » À toi de choisir le thème ! Tu rédigeras ce texte au conditionnel, en expliquant ce que tu ferais si cette condition était réalisée.

Consigne
- 15 lignes
- 10 GN

Coche la couleur que tu as le mieux réussie.

- Relève de nouveaux défis ! → **exercices 1, 2 p. 48**
- Améliore tes performances ! → **exercices 3, 4 p. 48**
- Prouve que tu es un champion ! → **exercices 5, 6 p. 48**

16 Conjugaison et emplois du subjonctif présent

J'observe

J'aimerais que tu m'*écoutes*. Cependant, il se peut que tu me *prennes* pour un fou… Il faut pourtant que tu *saches* la vérité !

Quelle est la terminaison des verbes en italique ? ....

Appartiennent-ils tous au 1er groupe ? ....

Les verbes en italique expriment-ils un fait réel ? ....

Je retiens

COMMENT FORME-T-ON LE SUBJONCTIF ?

- Pour tous les groupes, les terminaisons sont : **-e**, **-es**, **-e**, **-ions**, **-iez**, **-ent**.
- Le radical est celui de la **3e personne du pluriel** du **présent de l'indicatif**.
- Pour certains verbes du 3e groupe, le **radical** est **modifié**. *que je puisse, qu'il fasse*
- **Exceptions :**

– ***Être*** : *que je sois, que tu sois, qu'il soit, que nous so**yons**, que vous so**yez**, qu'ils soi**ent**.*

– ***Avoir*** : *que j'aie, que tu aies, qu'il ait, que nous a**yons**, que vous a**yez**, qu'ils ai**ent**.*

QUELS SONT LES EMPLOIS DU SUBJONCTIF ?

Il s'utilise pour **des faits qui ne sont pas réels**, contrairement à l'indicatif.

- Il **remplace l'impératif** à la 3e personne. *Qu'il recommence son exercice !*
- Il s'utilise pour **exprimer un souhait, un sentiment, une obligation, une volonté, une crainte, une incertitude, une possibilité…**

  Pourvu que tu sois à l'heure. Il se peut que nous soyons en retard.

- Il est **obligatoire après des conjonctions** telles que : *avant que, pour que, quoique, jusqu'*à ce que, *afin que, à supposer que, sans que, bien que…* quand le verbe qui suit n'exprime pas une action réelle ou qui s'est réellement produite.

  J'ai rangé ma chambre pour que tu sois contente. (c'est un but mais pas un fait réel)

▶ Tableaux de conjugaison complets p. 126 à 128.

Je m'entraîne

1 Conjugue les verbes suivants au subjonctif présent.

Porter	Finir	Pouvoir	Faire
....	....	....	....
....	....	....	....
....	....	....	....
....	....	....	....
....	....	....	....
....	....	....	....

2 Transpose ces verbes du présent de l'indicatif au présent du subjonctif (même personne).

1. nous crions: .... • il lit: .... • vous blanchissez: ....
2. nous plaçons: .... • il vient: .... • nous voyons: ....
3. il court: .... • tu ris: .... • il veut: ....

3 Transpose ces impératifs au subjonctif pour exprimer un ordre à la 3e personne du singulier.

1. chante: .... • viens: .... • sois sage: ....
2. va: .... • prends: .... • dis: ....
3. vois: .... • écris: .... • crois-moi: ....

4 Souligne les verbes au subjonctif et précise leur valeur.

1. pourvu qu'il vienne! .... • je veux qu'il fasse ses devoirs: ....
2. je crains qu'il ne me voie pas: .... • il ne faut pas que tu t'inquiètes: ....
3. il se peut que le vent se lève: .... • je m'étonne que tu sois déjà là: ....

5 Conjugue les verbes entre parenthèses à l'indicatif ou au subjonctif selon le sens de la phrase. Indique le mode et justifie-le.

1. Je (être) .... là. ....
2. J'aimerais que tu (partir) .... en voyage pour découvrir le monde. ....
3. Viens me voir à moins que tu ne (être) .... trop occupée. ....

6 Barre la mauvaise réponse au sujet des verbes en gras et justifie ton choix.

1. Je ne viendrai pas parce que tu **habites** trop loin. indicatif / subjonctif → ....
2. Je vais te conduire afin que tu ne **rates** pas ton train. indicatif / subjonctif → ....
3. À supposer qu'il **arrive** dans cinq minutes, ce sera trop tard. indicatif / subjonctif → ....

7 J'APPLIQUE pour lire

Je désire seulement me lever, me soulever, afin que je me **croie** maître de moi. Je ne peux pas! Je suis rivé à mon siège; et mon siège adhère au sol, de telle sorte qu'aucune force ne nous soulèverait.
Puis, tout à coup, il faut, il faut, il faut que j'aille au fond de mon jardin cueillir des fraises et les manger.

Guy de Maupassant, *Le Horla* (1887).

a) À quel mode le verbe en gras est-il? Pourquoi? ....

....

b) Conjugue-le à toutes les personnes. ....

....

....

c) Souligne dans le texte l'autre verbe au même mode.

7 J'APPLIQUE pour écrire

Rédige cinq phrases au subjonctif commençant par: « J'aimerais que... » Choisis librement les thèmes mais utilise cinq verbes différents.

Coche la couleur que tu as le mieux réussie.

Chacun son rythme

- Relève de nouveaux défis! → exercices 7, 8 p. 48
- Améliore tes performances! → exercices 9, 10 p. 49
- Prouve que tu es un champion! → exercice 11 p. 49

17 Conjugaison et emploi des temps composés

J'observe

Lorsque je *fus arrivé* auprès de la maison Usher, une incroyable tristesse s'empara de moi. Je n'*avais* jamais *ressenti* cela auparavant !

D'après Edgar Allan Poe, *Nouvelles Histoires extraordinaires*, « La chute de la maison Usher », traduction de Charles Baudelaire (1839).

De combien de mots les formes verbales en italique se composent-elles ? ....

Comment s'appelle le premier mot ? le deuxième mot ? ....

L'action d'*arriver* est-elle achevée ? ....

Je retiens

A QU'EST-CE QU'UN TEMPS COMPOSÉ ?

• Un temps composé est toujours formé de **deux mots** : auxiliaire ***avoir*** ou ***être*** conjugué à un temps simple + le participe passé. *j'ai dit*

B QUAND UTILISER UN TEMPS COMPOSÉ ?

• Un **temps composé** sert à évoquer une action que l'on envisage comme entièrement achevée, accomplie à l'instant du récit. *J'ai dormi longtemps* (et je ne dors plus).

• À l'inverse, un **temps simple** sert à évoquer une action en cours de déroulement.

Il mange une pomme. Une grande tristesse s'empara de moi. Tu mettras un pull.

• Les **temps simples** et les **temps composés** s'emploient **en alternance** dans un récit. Les temps composés renvoient à des actions qui se sont déroulées avant celles exprimées aux temps simples (**antériorité**).

*Quand il **est sorti** du lit, il **prend** une douche.*

C QUEL TEMPS COMPOSÉ CHOISIR ?

Temps composé	Temps de l'auxiliaire	Alterne avec...	Exemple
passé composé	présent	le présent	*tu as fait*
plus-que-parfait	imparfait	l'imparfait ou le passé simple	*il avait décidé*
passé antérieur	passé simple	le passé simple	*il eut dansé*
futur antérieur	futur	le futur	*vous auriez combattu*
subjonctif passé	présent	le présent	*que nous soyons venus(e)s*
conditionnel passé	présent	le présent	*elles seraient arrivées*

▶ Tableaux de conjugaison complets p. 126 à 128.

Je m'entraîne

1 **Barre les phrases où n'apparaît pas un temps composé.**

1. j'ai acheté un vélo • vous pouvez commencer l'exercice • il sera arrivé tôt • ils parlent

2. il a beaucoup marché • nous sommes grands • ils furent montés • tu as beaucoup de chance

3. tu serais en avance • j'aurai compris • vous aviez bien choisi • elles étaient hardies

2 **Conjugue au temps composé demandé.**

	Saisir	Prendre	Être	Aller
Passé composé	elle	vous	tu	ils ....
Futur antérieur	ils	nous	j'	elle ....
Subjonctif passé	que j'	qu'ils	qu'il	que tu ....

3 **Souligne les verbes et indique s'ils évoquent une action accomplie (1) ou une action considérée en cours de déroulement (2).**

1. Parce qu'il a eu une bonne appréciation, il passe en troisième. ....

2. Après qu'il avait mis son pull, il n'avait plus froid. ....

3. Nous commencerons la partie dès qu'il sera arrivé. ....

4 **Indique le temps simple employé puis complète les verbes entre parenthèses avec le temps composé approprié.**

La conjonction *bien que* est **toujours suivie du subjonctif**

1. Elle est .... satisfaite, chaque fois qu'elle (ranger) .... sa chambre.

2. Lorsque l'avion (décoller) ...., il demanda .... ce qu'il faisait là.

3. Vous ne renonçâtes .... pas, bien que vous (échouer) .... une première fois.

5 **J'APPLIQUE pour lire**

La maladie de lady Madeline avait longtemps bafoué la science de ses médecins. [...] Jusque-là, elle avait bravement porté le poids de la maladie [...] mais, sur la fin du soir de mon arrivée au château, elle **cédait** à la puissance écrasante du fléau, et j'**appris** que le coup d'œil que j'avais jeté sur elle serait probablement le dernier.

« La chute de la maison Usher », *op. cit.*

a) **Souligne les verbes à un temps composé.**

b) **Quel est ce temps ? Évoque-t-il une action achevée ?** ....

c) **Transpose les verbes en gras au temps composé correspondant.** ....

....

6 **J'APPLIQUE pour écrire**

Rédige cinq phrases de ton invention dans lesquelles tu utiliseras un temps simple et le temps composé qui lui correspond.

Consigne
- 10 lignes minimum
- 5 verbes au plus-que-parfait
- 3 verbes au passé antérieur
- 3 verbes à un temps simple

Coche la couleur que tu as le mieux réussie.

- Relève de nouveaux défis ! → exercices 12, 13 p. 49
- Améliore tes performances ! → exercice 14 p. 49
- Prouve que tu es un champion ! → exercice 15 p. 49

Conjugaison et emplois du conditionnel

1. Chasse aux intrus **Barre les verbes qui ne sont pas au conditionnel.**

je partirais • tu dormiras • ils viendraient • tu espérais • nous mangerions • vous couriez • elle rougirait • elles agissaient • tu apprendras • tu aurais fini • ils pourraient • nous aurons pris • ils aimeraient

2. Quiz **Coche les phrases vraies.**

Le conditionnel :

☐ remplace le futur dans les textes au passé.

☐ s'utilise pour des informations dont on est sûr.

☐ s'utilise pour des faits imaginaires.

☐ s'utilise pour des actions soumises à une condition.

3. Verbes à la loupe **Souligne en bleu les conditionnels d'information incertaine et en rouge les conditionnels d'affirmation atténuée.**

1. Un tremblement de terre dévasterait actuellement le Chili.
2. Pourriez-vous patienter cinq minutes ?
3. Je ne voudrais pas vous déranger.
4. Les manifestations auraient cessé.

4. Casse-tête **Barre tous les verbes au conditionnel puis remets en ordre les syllabes pour trouver deux valeurs du conditionnel.**

Dansmangeraistionpourraisturriraissésauraientmise auraientàserionsfupartiraitdiiriezacouvriraitleferais souviendraittionparcourraisunevoudrionsleentendriez conplieriezpas

Valeurs du conditionnel :

....

....

5. Labo des mots **Complète le tableau.**

Phrases	Valeurs du conditionnel
Je ne savais pas qu'il arriverait si vite.	....
....	information non confirmée
Si tu avais le temps, tu nous rejoindrais.	....

6. Charade **Résous cette charade puis complète la phrase en précisant la valeur du conditionnel que tu as trouvé.**

Mon premier est une boisson. **Mon deuxième** est un article défini ou un pronom personnel pluriel. **Mon troisième** est le contraire de vrai. **Mon quatrième** est la première partie d'une négation. **Mon cinquième** est un poisson plat. **Mon tout** est un verbe au conditionnel qui permet de communiquer.

Réponse : ....

Elle te .... si elle avait besoin de toi.

Valeur du conditionnel : ....

Conjugaison et emplois du subjonctif présent

7. Chasse aux intrus **Barre les verbes qui ne peuvent pas être des subjonctifs.**

appelle • voyons • croie • finit • venez • vienne • parte • sentions • arrivent • allons • espériez • essaient • saviez –•écoutez • rient • entend • prennent • devons • réussisse • parvient

8. Quiz **Coche les phrases vraies.**

1. Au subjonctif, les terminaisons varient selon les groupes. ☐
2. Les terminaisons des 1re et 2e personnes du pluriel sont -ions et -iez. ☐
3. Le subjonctif s'utilise pour des faits réels. ☐
4. Le subjonctif remplace l'impératif à la 3e personne. ☐

9. Range-verbes **Souligne les verbes au subjonctif puis classe-les.**

qu'il sorte immédiatement • pourvu qu'il soit content • je ne veux pas qu'il te reconnaisse • il faut qu'il revienne • qu'ils ne restent pas dehors • je souhaite qu'il réussisse • il est nécessaire que vous réserviez vos places • il a ordonné que nous prenions la sortie de secours • vivement que les vacances arrivent

Ordre à la 3e personne: ....

Souhait: ....

Volonté: ....

Obligation: ....

10. Vrai ou faux **Barre la forme fausse puis justifie ta réponse.**

1. Je ne veux pas qu'il croie / croit cela.

....

2. Il faut qu'elle court / coure vite.

....

3. Je sais qu'elle ne voit / voie pas bien.

....

11. Lettres mêlées **Retrouve dans cette grille six verbes au subjonctif que tu utiliseras pour compléter les phrases. Précise ensuite la valeur du subjonctif.**

1. Qu'il s'en ....
2. Pourvu qu'il .... à l'heure. ....
3. Il faut que j' .... à ma sœur. ....
4. Je veux qu'elle .... mon petit chien. ....
5. Je crains qu'elle n' .... un petit retard. ....
6. Vivement qu'elle .... nous voir. ....

A	I	T	G	N	E
H	I	O	A	N	C
Z	M	L	N	B	R
V	X	E	L	S	I
T	I	O	S	E	V
V	O	I	E	K	E

Conjugaison et emplois des temps composés

12. Quiz **Coche les phrases vraies.**

1. Les temps composés sont constitués de l'auxiliaire *avoir* et d'un participe passé. ☐
2. Il y a autant de temps simples que de temps composés. ☐
3. Les temps composés s'utilisent pour des actions achevées. ☐
4. Le participe passé s'accorde toujours avec le sujet. ☐

13. Bouche-trous **Complète le tableau des temps simples et des temps composés qui leur correspondent.**

Temps simples	Temps composés
présent	....
....	plus-que-parfait
....	....
futur	....

14. Lettres mêlées **Remets les lettres dans l'ordre afin de retrouver les infinitifs puis conjugue au temps composé voulu.**

1. SRIHOCI ....

Je me demandais souvent pourquoi mes parents .... de vivre dans ce lieu isolé.

2. RIAPROUCR ....

Lorsque nous .... dix kilomètres, nous ferons une pause.

15. Charade **Résous cette charade et utilise ta réponse dans la phrase. Indique le temps et justifie son emploi.**

Mon premier est un moyen de transport. **Mon deuxième** est une note de musique. **Mon troisième** enjambe une rivière. **Mon quatrième** est un article partitif. **Mon tout** est un verbe conjugué à un temps composé.

....

Il ne savait pas que nous .... déjà .... à son invitation.

Temps: ....

Valeur: ....

18 Les verbes pronominaux

J'observe

Tu m'apportes chaque matin mon petit déjeuner : ainsi je me **réveille** de bonne humeur, je me **lève** facilement et je m'**habille** en chantant.

Indique la personne du pronom *me, m'* qui précède les verbes en gras. ....

À quelle personne les verbes sont-ils conjugués ? ....

Je retiens

A QU'EST-CE QU'UN VERBE PRONOMINAL?

• C'est un verbe qui se conjugue précédé de **deux pronoms de la même personne.** *je me lève*

• Aux **3e personnes** du singulier et du pluriel, ainsi qu'aux **modes impersonnels** (infinitif, participe...), on utilise le **pronom *se* (ou *s'*)**. *il se lave, ils se retournent, se lever*

• Aux **temps composés**, on utilise toujours l'auxiliaire être. *je me suis levé*

B LES DIFFÉRENTES CATÉGORIES DE VERBES PRONOMINAUX

• Certains verbes **n'existent qu'**à la forme pronominale (*se souvenir*) ou ont **un sens différent** à cette forme (*se mettre, mettre*) : ce sont des verbes **essentiellement pronominaux.**

• Quand les sujets effectuent l'action sur eux-même ou les uns sur les autres: **sens réfléchi** ou **sens réciproque**.

il se lave (réfléchi), *ils se disputent* (réciproque)

• Quand le sujet subit l'action comme à la forme passive, c'est le **sens passif.**

La tache ne se voit plus. (la tache n'est plus visible)

C COMMENT LE PARTICIPE PASSÉ S'ACCORDE-T-IL ?

• Il s'accorde **avec le sujet** sauf pour les sens réfléchis et réciproques. *elle s'est enfuie*

• Pour les **sens réfléchis** ou **réciproques**, le participe s'accorde s'il y a un COD placé avant le verbe, le deuxième pronom étant souvent le COD.

ils se sont regardés (ils ont regardé « eux-mêmes », COD représenté par *se*)

ils se sont parlé (ils se sont parlé à « eux-mêmes », COI et non COD représenté par *se*)

Je m'entraîne

1 Souligne les verbes à la forme pronominale.

1. je me lève • je te voie • tu te souviens • tu nous parles • vous l'enviez • nous nous lavons

2. elle le sait • il s'enfuit • on te parle • tu t'éclipses • elles nous apprécient • il s'éparpille

3. Paul se perd • tu le perds • elle lui avoue • ma mère et moi nous retrouverons • vous vous regardiez • vous nous considérez • elles nous appellent • ta sœur et ses amis se donnent rendez-vous

2 Barre l'intrus.

1. nous nous identifions • vous vous aimiez • vous nous expliquiez • nous nous voyons

2. je me retourne • tu te laisses faire • je t'expliquerai • je m'excuse

3. il se laisse aller • ils se rapprochent • ils s'éloignent • elle l'abandonne

3 Souligne les verbes essentiellement pronominaux.

1. s'évader • s'habiller • s'enfuir • se laver • s'absenter • se disputer • se voir

2. se mettre • se préparer • se démener • s'écarter • s'interpeller • s'emparer

3. se consulter • se fier • se blottir • s'évanouir • se désister

N'oublie pas : les verbes **essentiellement pronominaux** sont de deux types : ceux qui n'existent qu'à la forme pronominale et ceux qui ont un sens différent lorsqu'ils sont à la forme pronominale.

4 Souligne les verbes pronominaux et identifie à quelle catégorie ils appartiennent : sens réfléchi, réciproque ou passif.

1. Tu te laves chaque matin pendant une heure. ....

Nous nous disputons très souvent avec mes frères et sœurs. ....

2. Assieds-toi dans ce coin. ....

L'anglais est une langue qui se parle dans le monde entier. ....

3. Couche-toi rapidement et ne veille pas trop tard. ....

Il le rattrape, l'arrête, puis les deux hommes se battent. ....

5 Accorde les participes passés.

1. ils se sont souvenu.......... • elles se sont perdu.......... • elle s'est assi..........

2. elles se sont levé.......... • elle s'est acheté.......... un livre • elles se sont vu..........

3. elles se sont téléphoné.......... • elles se sont rencontré.......... • ils se sont dit.......... la vérité

6 J'APPLIQUE pour lire

Le jour me fatigue et m'ennuie. Il est brutal et bruyant. Je me lève avec peine, je m'habille avec lassitude […].
Mais quand le soleil baisse, une joie confuse, une joie de tout mon corps m'envahit. Je m'éveille, je m'anime. À mesure que l'ombre grandit, je me sens tout autre, plus jeune, plus fort, plus alerte, plus heureux. Je la regarde s'épaissir la grande ombre douce tombée du ciel.
Alors j'ai envie de crier de plaisir comme les chouettes, de courir sur les toits comme les chats ; et un impétueux, un invincible désir d'aimer s'allume dans mes veines.

Guy de Maupassant, *La Nuit* (1887).

a) **Souligne les verbes pronominaux.**

b) **Quel est leur infinitif ?** ....

....

....

c) **Quel est le sens des verbes pronominaux du premier paragraphe ?** ....

7 J'APPLIQUE pour écrire

Le personnage du texte de Maupassant aime la nuit. Mais on peut aussi avoir peur du noir. Rédige un texte dans lequel le personnage décrit sa peur de la nuit.

Consigne
- 10 lignes
- 3 verbes à la forme pronominale

Coche la couleur que tu as le mieux réussie.

- Relève de nouveaux défis ! → exercices 1, 2 p. 56
- Améliore tes performances ! → exercices 3, 4 p. 56
- Prouve que tu es un champion ! → exercices 5, 6 p. 56

19 Forme impersonnelle et forme emphatique

J'observe

Il fait nuit. *Il* fait froid. *Il* faut rentrer. Mais l'homme ne bouge pas. **Il** reste là, sans bouger !

À quelle personne les verbes sont-ils ? ....

À qui le *il* en gras renvoie-t-il ? ....

Peux-tu indiquer le nom que remplacent les *il* en italique ? ....

Je retiens

A QU'EST-CE QUE LA FORME IMPERSONNELLE ?

- Ce terme désigne une **forme verbale précédée d'un pronom *il*** qui ne remplace aucun mot.
- On distingue :

– les verbes **toujours impersonnels** : *pleuvoir, neiger, falloir...*

– les verbes **occasionnellement impersonnels**, mais qui existent aussi à la forme personnelle.

Il arrive que la lune soit pleine. Il ne renvoie à rien ni personne. Le verbe *arriver* est à la forme impersonnelle.

Il arrive de Caen, en train. Il désigne une personne. Le verbe *arriver* est à la forme personnelle.

B QU'EST-CE QUE LA FORME EMPHATIQUE ?

- La **forme emphatique** permet de **mettre en valeur** un élément de la phrase.
- Il existe plusieurs **procédés emphatiques** :

– l'utilisation d'un **présentatif** (*c'est... que / qui, voici... que / qui*). ***C'est*** *la nuit* ***que*** *les chats sortent.*

– le **déplacement** d'un élément en tête de phrase. ***La nuit****, les chats sortent.*

– le **redoublement** d'un élément par un pronom. ***La nuit****, il* ***la*** *passe dehors.*

Je m'entraîne

1 Souligne les verbes à la forme impersonnelle.

1. il va • tu t'assois • elle arrive • il pleut

2. il avance • il grêle • il faut • il prend

3. il convient de ranger • il convient que tu as raison • il paraît fatigué • il paraît que tu es fatiguée

2 Transforme ces phrases en utilisant la forme impersonnelle.

1. Trois élèves manquent aujourd'hui. ....

2. Un événement extraordinaire s'est produit ce matin. ....

....

3. Qu'il passe en premier me semble normal. ....

3 Remplace les formes impersonnelles par des formes personnelles.

1. Il ne se passe rien. ....

2. Il est important de boire beaucoup en été. ....

3. Il n'est pas étonnant qu'une telle aventure ait provoqué un choc. ....

....

4 Mets en valeur l'élément en gras au moyen des procédés indiqués entre parenthèses.

1. Pierre se rend au travail **en tramway**. (présentatif)

....

2. Jeanne court jusque chez elle, **après l'école**. (déplacement)

....

3. Lola déteste s'occuper **de ses frères et sœurs**. (redoublement)

....

5 Souligne l'élément mis en valeur et indique le procédé utilisé.

1. Voilà la femme que j'attendais ! ....

2. Le vendredi, je nageais pendant une heure. ....

3. Jean, je le vois demain. ....

6 J'APPLIQUE pour lire

– [Voici un homme qui me dévisage. Moi, je ne le connais pas ;] le connais-tu ?
[...]
Le mari haussa les épaules : – Bast ! n'y fais pas attention. S'il fallait s'occuper de tous les insolents qu'on rencontre, on n'en finirait pas.
Mais le vicomte s'était levé brusquement. Il ne pouvait admettre que cet inconnu gâtait une glace qu'il avait offerte. C'était à lui que l'injure s'adressait, puisque c'était par lui et pour lui que ses amis étaient entrés dans ce café.

Guy de Maupassant, *Un lâche* (1884).

a) Souligne le verbe à la forme impersonnelle.

b) Encadre les quatre éléments mis en valeur par une forme emphatique.

c) Récris le passage entre crochets en supprimant la forme emphatique (tu peux ne faire qu'une seule phrase).

....

....

....

....

7 J'APPLIQUE pour écrire

Imagine la dispute qui va avoir lieu entre le vicomte et l'inconnu, sous forme de dialogue.

Consigne
- 10 répliques
- 3 procédés d'emphase différents
- 2 verbes à la forme impersonnelle

Chacun son rythme

Coche la couleur que tu as le mieux réussie.

- ☐ Relève de nouveaux défis ! → exercices 7, 8 p. 56
- ☐ Améliore tes performances ! → exercice 9 p. 57
- ☐ Prouve que tu es un champion ! → exercice 10 p. 57

20 La forme passive

J'observe

Le Cœur révélateur **a été écrit** par Edgar Allan Poe en 1843.

Combien de mots y a-t-il dans la forme verbale en gras ? ....

Souligne son sujet. Fait-il l'action exprimée par le verbe ? ....

Qui a écrit *Le Cœur révélateur* ? ....

Je retiens

A QU'EST-CE QUE LA FORME PASSIVE ?

- Un verbe est à la forme passive si son sujet **subit l'action** exprimée par le verbe.
- C'est le **complément d'agent** (= qui agit) qui indique qui fait l'action. Il est **introduit** par les **prépositions** *de* ou *par* et n'est pas obligatoire.

  *Le livre est lu **par l'auteur**.*

B COMMENT CONJUGUER UN VERBE À LA FORME PASSIVE ?

- L'auxiliaire *être* est conjugué au **temps du verbe à la forme active** et est suivi du **participe passé de ce verbe**. Il n'y a **pas de temps simples**.

  Forme active : *tu vois* (présent) ; forme passive : *tu es* (présent) *vu*.

C COMMENT TRANSPOSER LA FORME ACTIVE À LA FORME PASSIVE ?

- Le **COD** devient **sujet** ; le **sujet** devient **complément d'agent**.

  Un voisin avait entendu un cri. → *Un cri avait été entendu par un voisin.*
  sujet — verbe — COD — sujet — verbe — c. d'agent

Remarque : la transposition à la forme passive n'est pas toujours possible.

D COMMENT TRANSPOSER LA FORME PASSIVE À LA FORME ACTIVE ?

- Le **sujet** devient **COD**, le **complément d'agent** devient **sujet**.
- S'il n'y a **pas de complément d'agent**, le sujet du verbe à la forme active est ***on***.
- Le verbe est conjugué au temps de l'**auxiliaire** *être*.

  Les délégués ont été élus. → *On a élu les délégués.*
  sujet — verbe — verbe — COD

Je m'entraîne

1 Conjugue le verbe *aimer* à la forme passive au temps et à la personne indiqués.

1. présent : il .... • imparfait : il ....
2. conditionnel présent : elle .... • conditionnel passé : elle ....
3. passé simple : nous .... • passé composé : nous ....
4. plus-que-parfait : j' .... • futur antérieur : j' ....
5. passé antérieur : elle .... • subjonctif présent : qu'elle ....

2 Transpose ces verbes à la forme active.

1. tu es regardée : .... • elle est aimée : ....
2. je suis appelée : .... • nous étions connus : ....
3. ils étaient placés : .... • ils seront placés : ....
4. il aurait été retrouvé : .... • je fus bouleversée : ....

3 Mets ces verbes à la forme passive.

1. il a arrêté : .... • il traversera : ....
2. elle voit : .... • elle applaudira : ....
3. elle avait sauvé : .... • nous aurions cru : ....

4 Transpose ces phrases passives à la forme active.

1. Ce château est habité par un fantôme. ....
2. Les arbres avaient été déracinés par la tempête. ....
3. Plusieurs invités ont été conviés à ce dîner. ....
4. Cette demeure fut construite au Moyen Âge. ....

5 Transpose ces phrases à la forme passive si c'est possible, sinon justifie l'impossibilité.

N'oublie pas qu'il faut un **COD** pour passer à la **forme passive**.

1. Les collégiens apprécient le fantastique. ....
2. Cette histoire a effrayé les enfants. ....
3. On leur lira ce soir un conte plus amusant. ....
4. Ils ne reviendront pas dans cet endroit sinistre. ....
5. On aurait arrêté deux suspects. ....

6 J'APPLIQUE pour lire

[Un cri avait été entendu par un voisin pendant la nuit] ; cela avait éveillé le soupçon d'un mauvais coup : une dénonciation avait été transmise au bureau de police, et ces messieurs (les officiers) avaient été envoyés pour visiter les lieux.

Edgar Allan Poe, *Le Cœur révélateur*,
traduction de Charles Baudelaire (1843).

a) **Souligne les verbes à la forme passive.**

b) **À quel temps sont-ils conjugués ?**

....

c) **Mets le passage entre crochets à la forme active.** ....

....

7 J'APPLIQUE pour écrire

Imagine ce que découvrent les policiers et les hypothèses qu'ils déduisent de leurs constatations.

Consigne
- 15 lignes
- 3 formes passives

Chacun son rythme

Coche la couleur que tu as le mieux réussie.

- Relève de nouveaux défis ! → exercices 11, 12 p. 57
- Améliore tes performances ! → exercice 13 p. 57
- Prouve que tu es un champion ! → exercice 14 p. 57

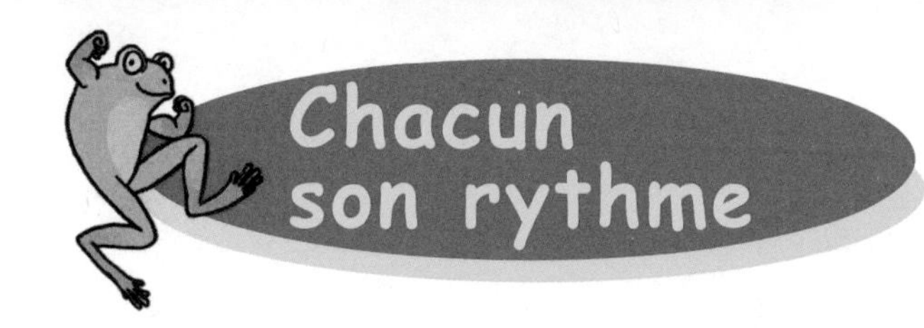

Les verbes pronominaux

1. Chasse aux intrus **Barre les verbes qui ne sont pas à la forme pronominale.**

ils s'entendent bien • il m'entend bien • elle me regarde • je me regarde • ils se connaissent • je t'écoute • je m'aperçois • je me retiens • il me retient • je me rappelle • elle me rappelle • ils se voient

2. Quiz **Coche les phrases vraies.**

À la forme pronominale :

☐ le verbe conjugué est précédé d'un ou deux pronoms.

☐ le verbe conjugué est précédé de deux pronoms de la même personne.

☐ les temps composés utilisent l'auxiliaire *être* ou *avoir*.

☐ certains verbes changent de sens.

3. Range-verbes **Classe les verbes à la forme pronominale dans la bonne colonne.**

elles se sont parlé • le cachemire se reconnaît au toucher • les enfants se sont enfuis en courant • il se douche en sifflant • ils ne se sont même pas regardés • ce gâteau se mange à Noël • elles se sont évanouies

Essentiellement pronominal	Sens réfléchi	Sens réciproque	Sens passif
....	....	....	....
....	....	....	....
....	....	....	....
....	....	....	....
....	....	....	....

4. Lettres mêlées **Remets les lettres en ordre pour trouver l'infinitif d'un verbe que tu conjugueras à la forme pronominale au temps indiqué.**

1. Ils (RENOMPER, passé composé) .... tout l'après-midi.
2. Vous ne (OAPCVERIER, plus-que-parfait) .... de son absence.
3. (VROEISUN, impératif 2e personne du singulier) .... de ton rendez-vous.
4. Nous (SEIRNEGRNE, futur) .... sur place.

5. Méli-mélo **Replace correctement ces participes passés et accorde-les.**

INTERROMPU PARLÉ CASSÉ MIS

1. La séance s'est ....
2. Elle s'est .... la jambe.
3. Elles ne se sont pas .... depuis dix ans.
4. Elle s'est .... à rire sans raison.

6. Charade

Mon premier a une baguette magique.
On dort dans **mon deuxième**.
On coupe du bois avec **mon troisième**.
Mon quatrième est une boisson.
Mon tout est un verbe à l'infinitif que tu conjugueras au passé composé de la forme pronominale pour compléter la phrase.

Réponse : ....

Elles .... d'avoir choisi ce film magnifique.

Forme impersonnelle et forme emphatique

7. Range-phrases **Classe ces phrases dans la bonne colonne à l'aide de leur numéro.**

1. Il sourit. 2. Lui, il sourit souvent. 3. Voici Pierre qui connaît bien le sujet. 4. Il est indispensable de réparer cette voiture. 5. Il manque encore beaucoup d'ustensiles. 6. Il arrivera à 17 h 00. 7. Il faut se dépêcher. 8. C'est ce jour-là qu'il est arrivé.

Forme impersonnelle	Forme emphatique	Forme personnelle non emphatique
....	....	....

8. Quiz **Coche les phrases vraies.**

À la forme impersonnelle, le sujet est toujours *il*. ☐

À la forme emphatique, un élément est mis en valeur. ☐

À la forme impersonnelle, le verbe est toujours au présent. ☐

Certains verbes n'existent qu'à la forme impersonnelle. ☐

9. Chasse aux intrus **Barre les phrases qui ne comportent pas de forme impersonnelle.**

Il fait beau. • Il faut partir. • Il est génial. • Il est important que tu viennes. • Il y a trois retardataires. • Il pleut. • Il vaut mieux partir. • Il vaut une fortune. • Il me semble que c'est bien. • Il me semble en forme.

10. Phrases à la loupe **Complète ce tableau.**

Phrases personnelles non emphatiques	Forme impersonnelle	Forme empathique
Un événement extraordinaire s'est produit.	....	....
....	Il est impossible de passer par là.	....
....	....	C'est jouer à ce jeu qui est amusant.
Qu'il ait éprouvé un choc en entendant cette nouvelle n'est pas étonnant.	....	....

La forme passive

11. Quiz **Coche les propositions justes.**

À la forme passive :

☐ il y a des temps simples et des temps composés.

☐ on n'utilise que l'auxiliaire *être*.

☐ le sujet ne fait pas l'action.

☐ on ne sait jamais qui fait l'action.

12. Range-verbes **Souligne en bleu les formes actives et en rouge les formes passives.**

il part • il est pris • elles ont été émerveillées • je suis allée • nous sommes venus • il sera puni • vous serez récompensés • tu es étonnée • ils sont partis • elle est tombée

13 Méli-mélo **Trouve sept participes passés dans cette grille, utilise-les pour compléter les phrases puis précise la forme.**

T	I	R	E	E	E
S	O	R	T	I	E
A	J	U	V	E	R
V	E	I	R	T	A
H	U	G	S	N	K
S	A	L	E	E	E

	Forme
1. Ce film a été .... en Afrique.	....
2. Cette histoire est .... d'un fait réel.	....
3. Elle est .... à 16 h 00.	....
4. Cette règle n'est pas très	....
5. Nous ne l'avons pas	....
6. Cette soupe était trop	....
7. Elle a .... toutes ses photos.	....

14. Charade **Résous la charade, tu trouveras l'infinitif d'un verbe que tu utiliseras pour faire deux phrases, l'une à la forme active, l'autre à la forme passive.**

Mon premier est un jeu.
Mon deuxième est un bâtiment très haut.
Mon troisième est une partie du visage.
Mon tout est un verbe à l'infinitif.

Réponse : ....

Phrase à la forme active : ....

....

Phrase à la forme passive : ....

....

Bilan 21 Je sais orthographier les participes passés

J'observe

Elle est allée chez le coiffeur ? Non, elle s'est juste lavé les cheveux.

Quel auxiliaire est utilisé ? ....

Dans quelle phrase le participe passé est-il accordé avec le sujet ? ....

Je retiens

A COMMENT ACCORDER LE PARTICIPE PASSÉ UTILISÉ SEUL?

- Il s'accorde en genre et en nombre **avec le nom ou le pronom** auquel il se rapporte.

  *Fatiguée, **elle** va se coucher.*

B COMMENT ACCORDER LE PARTICIPE PASSÉ UTILISÉ AVEC *ÊTRE*?

- Il s'accorde en genre et en nombre **avec le sujet** du verbe

  ***Elle** est lavée.*

C COMMENT ACCORDER LE PARTICIPE PASSÉ UTILISÉ AVEC *AVOIR*?

- Pas d'accord avec le sujet. Il s'accorde **avec le COD** s'il est **placé avant le verbe**.

  *Il a lavé sa voiture. Il **l'**a lavée.*

D COMMENT ACCORDER LE PARTICIPE PASSÉ DES VERBES PRONOMINAUX? (VOIR FICHE 18)

- On accorde **avec le sujet** les participes passés des verbes :

– **essentiellement pronominaux**. ***Elle** s'est enfuie.*

– pronominaux **de sens passif**. ***Ils** se sont bien vendus.*

- On accorde avec le **COD placé avant le verbe** les participes passés des verbes :

– pronominaux de **sens réfléchi**. *Elle **s'**est coiffée.*

– pronominaux de **sens réciproque**. *Ils **se** sont reconnus.*

Je m'entraîne

1 Souligne les formes correctes.

1. elle est levé / elle est levée • elle s'est levé / elle s'est levée

2. elle a reconnu / elle a reconnue • elle s'est reconnu / elle s'est reconnue

3. elle a regardé / elle a regardée • elle s'est regardé / elle s'est regardée

2 Conjugue les verbes au temps demandé.

1. Dès l'aube, elle (partir, PASSÉ COMPOSÉ) ....
2. Ils (tomber, CONDITIONNEL PASSÉ) .... sur plus forts qu'eux.
3. Elle (éblouir, PASSÉ COMPOSÉ PASSIF) .... par cette fête.

3 Souligne les pronoms COD puis accorde les participes passés si nécessaire.

1. Je les ai rencontré...... à la sortie du théâtre, ils avaient adoré... la pièce.
2. Ces fleurs, je les ai cueilli.......... dans mon jardin pour l'amie que je n'ai pas revu...... depuis longtemps.
3. Les informations que tu m'as donné.........., je les avais déjà entendu.......... à la radio.
4. Il nous a bien renseigné............ et nous a montré......... la route que nous n'avions pas vu..........

4 Conjugue ces verbes essentiellement pronominaux au temps demandé.

1. Elle (s'empresser, PASSÉ COMPOSÉ) .... de lui montrer le chemin.
2. Elle (se soucier, PLUS-QUE-PARFAIT) .... de ses élèves.
3. Ils (s'adonner, FUTUR ANTÉRIEUR) .... à des jeux dangereux.

5 Accorde les participes passés des verbes pronominaux.

1. Katia s'est promené....... rue Voltaire.
2. La vague s'est formé....... puis elle s'est enroulé....... sur elle-même.
3. Ils se sont regardé...... et se sont reconnu...... .
4. Ils se sont souri....... quand ils se sont vu...... .
5. Elles se sont appelé......... : cela faisait un an qu'elles ne s'étaient plus parlé....... .
6. Elles se sont rappelé....... qu'elles s'étaient promis....... de se voir ce jour-là.

6 Accorde les participes passés.

1. Ils ont apprécié....... les plats préparé...... par Léo pour son anniversaire.
2. Elle a cru....... qu'elle avait réussi....... sans avoir travaill....... .
3. Elle a vu....... la statue et, ému......, s'est recueilli....... devant.
4. Ils ont suivi... la voiture rouge qui s'est faufilé....... entre les voitures arrêté......... .
5. Désemparé......, ils se sont rendu....... compte qu'ils s'étaient perdu...... .
6. Ils ont réussi....... car ils se sont bien préparé...... et ont maîtrisé....... leur appréhension.

7 JE CONSOLIDE mon orthographe

Souligne les participes passés corrects.

1 Séraphine a accueillie / accueilli ses hôtes dans la maison qu'elle a achetée / acheté.

2 Avec Philippe, elle a redécoré / redécorée le gîte qu'ils se sont offert / offerts. Ils lui ont redonnée / redonné vie.

3. Ils s'étaient demandé / demandés s'ils avaient fait / faits une bonne affaire quand ils avaient achetés / acheté ce bien.

MÉTHODE 2 Comment distinguer forme active et passive (avec *être*) ?

Distinguer formes actives et passives n'est pas toujours aisé, voici quelques conseils pour t'aider.

Je repère les formes faciles à identifier

- La forme verbale comporte **un seul mot = forme active**. *Il revoit la leçon.*
- La forme verbale comporte **deux mots et l'auxiliaire est *avoir* = forme active**. *Il a revu la leçon.*
- La forme verbale comporte **trois mots = forme passive.** *La leçon a été revue.*

Je vérifie que j'ai bien compris

1 Relie les verbes à leur forme

1. il a mangé •
2. tu as été remarquée • — • forme active
3. ils avaient oublié •
4. il aurait réussi • — • forme passive
5. il a assuré •
6. il a été examiné •

Je sais distinguer les formes en deux mots avec l'auxiliaire *être*

- Pour la forme **active**, il y a deux points de repère :

– le sujet fait l'action : *il est venu* ;
– le verbe ne peut pas se conjuguer avec l'auxiliaire *avoir*. On ne peut pas dire : *il ~~a venu~~.*

- Pour la forme **passive,** il y a trois points de repère :

– le sujet subit l'action : *il est arrêté par l'orage* ;
– le verbe peut se conjuguer avec l'auxiliaire *avoir* à la forme active : *il a arrêté sa voiture ;*
– on peut transposer la phrase à la forme active : *l'orage l'arrête.*

Je vérifie que j'ai bien compris

2 Dans chaque liste, barre l'intrus. Donne au moins deux justifications.

1. il est né • il est parti • il est monté • il est suivi • il est tombé • il est arrivé

....

....

....

2. il est resté • il est perdu • il est oublié • il est arrêté • il est observé • il est condamné

....

....

3. je suis pris • je suis oublié • je suis ébloui • je suis critiqué • je suis parti

....

....

À RETENIR

Seules les formes en deux mots avec l'auxiliaire *être* posent problème : si le sujet fait l'action, c'est la forme active, sinon c'est la forme passive.

J'APPLIQUE LA MÉTHODE

3 Souligne en bleu les formes actives et en rouge les formes passives.

elles viennent • nous sommes arrivés • ils sont enfermés • tu as été étonné • vous êtes partis • tu as entendu • nous avons été bloquées • je suis entourée • elle est soignée • elles sont arrêtées

4 Indique la forme et le temps de ces verbes.

1. vous êtes venus: ....
2. ils sont écoutés: ....
3. tu avais choisi: ....
4. qu'elle soit réveillée: ....
5. elle sera partie: ....
6. ils avaient été étonnés: ....
7. il a été assomé : ....
8. il fut emprisonné : ....

5 Donne le temps de ces verbes à la forme active, puis transpose-les à la forme passive quand c'est possible.

1. elle a regardé: ....
2. tu choisiras: ....
3. il était parti: ....
4. qu'elle comprenne: ....
5. elle aurait vu: ....
6. vous suivez: ....
7. vous critiquerez : ....
8. j'ai aperçu : ....

6 Donne le temps de ces verbes à la forme passive, puis transpose-les à la forme active.

1. tu es pris: ....
2. il avait été surpris: ....
3. nous serons écoutés: ....
4. que nous soyons reconnus: ....
5. vous avez été choisies: ....
6. j'étais étonnée: ....

7 Souligne les sujets et surligne les verbes à la voix passive.

1. Lisa et Lilou sont parties ensemble.
2. Tom est attendu par ses amis.
3. Les intrus ont été chassés par le gardien.
4. Mélanie est tombée par terre.
5. Le chien et le chat sont sortis par la fenêtre.
6. Le nouvel épisode sera diffusé la semaine prochaine.

8 Surligne les phrases à la forme active. Souligne le complément d'agent des phrases à la forme passive puis transpose-les à la forme active.

1. Nous avons été réveillés par le chant du coq.
2. Tom est arrivé chez Léa par hasard.
3. Elle est appréciée de tous les spectateurs.
4. Nous ne sommes pas sortis de chez nous.
5. Cette prairie sera bientôt recouverte de neige.
6. Le dessert est savouré par les invités.
7. Je me suis égaré par mégarde.
8. Les preuves ont été examinées par la juge.

9 **BILAN** Complète le tableau.

Infinitif	Temps	Forme active	Forme passive
apprendre	passé composé	elle	elle ....
faire	imparfait	elles	elles ....
tenir	passé simple	je	je ....
choisir	futur	vous	vous ....
appeler	présent	ils	ils ....

22 La composition d'une phrase

J'observe

Ce quartier, **le soir**, est très animé ! Les gens sont festifs.

La première phrase conserve-t-elle un sens si tu supprimes le groupe en gras ? ....

Peux-tu supprimer un mot ou un groupe de la deuxième phrase ? ....

Je retiens

Dans une phrase, certains éléments sont **essentiels**, d'autres **peuvent être supprimés.**

A QUELS SONT LES ÉLÉMENTS ESSENTIELS ?

On appelle **phrase minimale** une phrase qui ne comporte que les **éléments essentiels**. Ceux-ci dépendent du sens du verbe.

• Cette phrase peut comporter :

– un **sujet** + un **verbe d'action**, ou un **verbe à l'impératif**. *Ma mère est sortie. Je travaille. Sortez.*

– un **sujet** + un **verbe d'état** + un **attribut du sujet** (▶ fiche 23).
Ce film est très émouvant. (*Ce film est* n'a pas de sens.)

– un **sujet** + un **verbe d'action** + un **complément de verbe.**
J'ai pris mon parapluie. (*J'ai pris* n'a pas de sens.)

B QUELS SONT LES AUTRES ÉLÉMENTS ?

• Les **compléments de verbe** que l'on peut supprimer.

J'ai écrit une lettre ***à ma grand-mère.***

Nous sommes préoccupés ***par la difficulté de la leçon.***

• Les **compléments de phrase** qui apportent des précisions sur l'ensemble de la phrase, mais que l'on peut supprimer.

Ce matin, en Auvergne, *le temps était très froid.*

Remarque : on peut aussi **les changer de place** facilement.

Demain il partira. → Il partira demain.

Je m'entraîne

1 Barre les groupes qui ne peuvent pas constituer une phrase.

1. il arrive • est prêt • tu es • partons • mange • avons fait • j'ai • rentrons

2. il a dormi • vous avez réfléchi • a appris • avions fini • il travaille • sois

3. écoutes • arrêtez • il est parti • vous êtes • nous arrivons • prennent

2 Isole les groupes qui constituent ces phrases.

1. Le manoir a été bâti par de nombreux villageois.

2. Les toits de cette ville sont typiques : ils sont très pentus.

3. De cette fenêtre nous avons vue sur les toits.

3 Barre les compléments de phrase.

1. Dans cet immeuble rénové, les habitants ne se plaignent jamais d'insalubrité.
2. Ici, le bâtiment de la mairie n'est pas très glorieux puisque c'est une ancienne prison.
3. Les jardins publics sont constamment en travaux dans cette commune.

4 Souligne le(s) complément(s) de verbe dans chaque phrase. Précise ceux qui sont essentiels.

1. Le bruit des pas sur les pavés révèle l'agitation du matin. ……………………
2. Actuellement, le passage est envahi par les travailleurs. ……………………
3. J'ai offert un verre à mes amis. ……………………

5 Complète à l'aide d'un des mots ou groupes proposés. Relie chaque groupe à sa fonction : attribut du sujet (A) ou complément de verbe (C).

une bonne idée • délicieux • la télévision • de ton visage • contents • par mon père

1. Les enfants sont …………………… •
2. Elles se souviennent bien …………………… •
3. Cela me semble …………………… •

• Attribut du sujet

• Complément de verbe

6 Ajoute le nombre de compléments de phrase demandé.

1. DEUX COMPLÉMENTS …………… cette boutique attirait les foules …………………… .
2. DEUX COMPLÉMENTS Les passants déambulaient …………………… .
3. TROIS COMPLÉMENTS ……………, les volets étaient fermés …………………… .

7 J'APPLIQUE pour lire

Dans certaines villes de province on rencontre des maisons très sombres. Leur vue inspire une mélancolie égale à celle des cloîtres les plus sombres, des landes les plus ternes ou des ruines les plus tristes. La vie et le mouvement y sont tranquilles.

D'après Honoré de Balzac, *Eugénie Grandet* (1833).

a) **Isole les groupes dans les deux premières phrases.**

b) **Souligne les compléments de verbe.**

c) **Relève un complément de phrase dans la première phrase.** ……………………

……………………

d) **Encadre la phrase comportant un attribut du sujet.**

8 J'APPLIQUE pour écrire

Rédige la description d'une ville de province.

Consigne
- 20 lignes
- 5 phrases avec des compléments de phrase variés

Coche la couleur que tu as le mieux réussie.

- ☐ Relève de nouveaux défis ! ⟶ exercices 1, 2 p. 68
- ☐ Améliore tes performances ! ⟶ exercices 3, 4 p. 68
- ☐ Prouve que tu es un champion ! ⟶ exercices 5, 6 p. 68

23 Sujet, verbe et attribut

J'observe

Ils s'appellent Paul et Léo. Mais, nous dirent-ils, ils passent souvent pour Pierre et Victor dans la rue.

Souligne les sujets et surligne les terminaisons des verbes.

Relève les mots ou groupes de mots qui apportent des précisions sur ces sujets.

....

Peut-on supprimer ces mots ? ....

Je retiens

COMMENT RECONNAÎTRE LE SUJET ?

- À la **forme active**, le sujet fait l'action, à la **forme passive**, il la subit.

  La tempête *a déraciné un arbre.* ***Un arbre*** *a été déraciné par la tempête.*
- À la **forme impersonnelle**, il y a en général deux sujets : *il*, sujet grammatical, et le sujet logique placé après le verbe.

  Il *pleut.* ***Il*** *manque* ***deux élèves****.* (= Ce sont les deux élèves qui manquent.)
- Les **classes grammaticales** du sujet sont GN ou équivalent (pronom, infinitif) et proposition subordonnée conjonctive introduite par *que*.

COMMENT RECONNAÎTRE L'ATTRIBUT DU SUJET ?

- Il apporte des **précisions sur le sujet** : identité, qualités, apparence.
- Il se rencontre **après un verbe d'état** ou équivalent : *être, paraître, avoir l'air, s'appeler.*

  Elle paraît grande. Elle s'appelle Justine.
- Les **classes grammaticales** de l'attribut du sujet sont adjectif, GN ou équivalent et proposition subordonnée conjonctive introduite par *que*.

COMMENT LE VERBE, LE SUJET ET L'ATTRIBUT S'ACCORDENT-ILS ?

- Le sujet commande l'accord du verbe **en nombre et en personne**.
- L'attribut du sujet s'accorde **en genre et en nombre avec le sujet**.
- **Remarque** : s'il y a deux sujets à deux personnes différentes, le verbe se met au pluriel de la plus petite personne. Si le sujet est le pronom relatif *qui*, le verbe s'accorde en personne avec l'antécédent.

Je m'entraîne

1 Souligne les sujets.

1. Tout le monde devra être là à l'heure. Les retardataires ne seront pas acceptés.

2. Beaucoup de participants arriveront tard. Trouver un taxi ne sera pas facile.

3. Combien coûtent ces deux chandeliers ? Que je puisse les acheter m'étonnerait.

2 Souligne en bleu le sujet grammatical et en rouge le sujet logique (s'il est exprimé).

1. Il pleut souvent. • Il manque une ampoule. • Il m'arrive une drôle d'histoire.
2. Il gèle. • Il tombe des cordes. • Il est amusant de courir dans les vagues.
3. Il est évident qu'il se trompe. • Il se peut que je sois en retard. • Il est sûr qu'il se trompe.

3 Remplace les pointillés par un sujet de la classe grammaticale demandée.

1. GN : .... arrive toujours en retard.
2. Groupe infinitif : .... demande beaucoup de temps.
3. Proposition subordonnée : .... suscite mon admiration.

4 Souligne en bleu les attributs du sujet et en rouge les compléments de verbe.

L'**attribut** précise le **sujet** alors que le **complément** de verbe précise le verbe.

1. Elle paraît contente d'elle. • Elle reconnaît la maison. • Je suis la sœur de Jules.
2. Son seul souci est de te faire plaisir. • Il ne se soucie pas de toi.
3. Elle se nomme Natacha. • Elles sont arrivées épuisées. • Ils ont nommé le nouveau président.

5 Choisis la bonne orthographe.

1. Mon père et ma mère vient / viennent souvent. • Elle ne les voit / voient pas.
2. C'est toi qui arrivas / arriva le premier. • Pierre et moi irons / iront à Paris.
3. Il ne vous reconnaissez / reconnaissait pas. • C'est moi qui ai / a la meilleure place.

6 Accorde les attributs du sujet.

1. Ces jardins ne sont pas ensoleillé..........
2. Le chien et le chat sont noir..........
3. La veste et le pantalon paraissent neuf..........
4. La vue me semble joli..........
5. Julie et Léa sont sœur..........
6. Manger des fruits est important..........

7 JE CONSOLIDE mon orthographe

Conjugue les verbes au présent de l'indicatif et accorde les mots entre parenthèses.

1. Virginie et sa cousine (rester) .... très (proche) ....
2. Il (rester) .... trois (personne) .... (coincé) .... dans l'ascenseur.
3. Jules et Julie (être) .... (cousin) ....
4. Ma mère et moi qui (aimer) .... le théâtre (rentrer) .... (enchanté) .... de chaque représentation.
5. Toi qui (avoir) ..... de bons yeux, dis-moi si mes lunettes (être propre) ....
6. Pierre et son frère ne (se trouver) .... pas très (doué) ....
7. Sa famille et elle (vivre) .... (heureux) ....
8. Les rues (être bondé) .... et ne (paraître) .... pas (accessible) ....
9. Ta mère et toi (être) .... (excellent danseur) ....

Coche la couleur que tu as le mieux réussie.

☐ Relève de nouveaux défis ! → exercices 7, 8 p. 68
☐ Améliore tes performances ! → exercices 9 p. 68 et 10 p. 69
☐ Prouve que tu es un champion ! → exercice 11 p. 69

Chacun son rythme

24 Les compléments de verbe (COD, COI, COS)

J'observe

Toute la population de Saumur sait **que le père Grandet est très riche**. Mais sa fille Eugénie se fie à la parole de son père et ne se doute de rien.

D'après Honoré de Balzac, *Eugénie Grandet* (1833).

Peut-on supprimer l'élément en gras, qui précise le sens du verbe *savoir* ? ....

Quels mots introduisent les compléments de *se fier* et *se douter* ? ....

Je retiens

QU'EST-CE QU'UN COMPLÉMENT DE VERBE ?

- Un complément de verbe **précise l'action** exprimée par le verbe.
- Il ne peut être **ni déplacé, ni supprimé** sans déformer le sens de la phrase.

  *Je descends **les courses** de la voiture. ≠ Je descends de la voiture.*
- Il peut s'agir d'un **nom**, d'un **GN**, d'un **pronom**, d'un **infinitif** ou groupe infinitif, ou d'une **proposition subordonnée.** *Je déteste **le volley-ball**. Je déteste **travailler**. Je déteste **qu'il arrive en retard**.*

QUELS TYPES DE COMPLÉMENTS DE VERBE DISTINGUE-T-ON ?

- Le **complément à construction directe (ou COD)**, qui :

– est **directement rattaché** au verbe (sans préposition) et répond à la question ***qui / quoi ?***

– peut généralement être remplacé par les **pronoms *le, la, les, l', que*.**

  *J'explique **la leçon**. Je **l'**explique.*
- Le **complément à construction indirecte (ou COI)**, qui :

– est rattaché au verbe par une préposition (*à, de*...) et répond à la question ***à qui/ à quoi, de qui / de quoi ?***

– peut généralement être remplacé par les **pronoms *lui, leur, y*.**

  *J'explique **à Marie**. Je **lui** explique.*
- Certains verbes sont suivis de **deux compléments** ; dans ce cas, le second complément, toujours à construction indirecte, est appelé **complément d'objet second (ou COS).**

  J'explique **la leçon *à Marie*.**

Je m'entraîne

Dans les phrases suivantes, souligne les compléments de verbe.

Attention, il n'y en a pas dans toutes les phrases !

1. J'écoute la radio. • Tu penses à ton prochain voyage. • Dans le jardin, elle a coupé des fleurs.

2. Vous téléphonez souvent à vos parents. • Il parle très fort. • Elle dort en ronflant très bruyamment. • Elles rangent méthodiquement leurs cours.

3. Ils pensent qu'ils se promèneront s'il fait beau. • Il rêve de voyager. • Je me demande si je réussirai. • Vous ne croyez certainement pas que ça fonctionnera.

Les articles contractés cachent des prépositions… Et **de** est parfois un **article partitif**.

2 Souligne les COD, surligne les COI et barre les attributs du sujet.

1. Elle mange une pomme. • Nous parlons de toi. • Ils paraissent joyeux.
2. Tu ne deviendras jamais un grand artiste. • Je crois au père Noël. • Je ne mange pas de poisson.
3. Vous ne vous méfiez pas assez des tricheurs. • Elle passe pour une personne sympathique. • Tu achètes des bananes. • Vous ne connaissez pas la surprise que nous avons préparée.

3 Souligne en bleu les COI et en rouge les COS.

1. Il obéit à son frère. • Elle parle à tous ses voisins. • Nous avons offert un cadeau à notre mère.
2. Je lis une histoire à ma petite sœur. • Elle s'intéresse à tout. • Je m'étonne de son absence.
3. Je ne lui ai rien dit. • Je ne lui ai pas parlé de toi. • Demande-lui son adresse.

En remplace parfois un COI introduit par *de*, parfois un COD avec un article partitif.

4 Indique si les pronoms en gras sont COD, COI ou COS puis récris la phrase en les remplaçant par des groupes nominaux.

1. Tu **les** .... **lui** .... transmets. ....
2. Nous **leur** .... **en** .... parlerons. ....
3. Ils **leur** .... **en** .... ont servi. ....

5 Indique la classe et la fonction des groupes en gras.

1. Nous avons acheté **des fleurs** (..........). • Ne **lui** (..........) réponds pas.
2. Je **te** (..........) propose **de partir tôt** (..........).
3. Elle pensait **que je viendrais** (..........), mais j'ai été retenue **par Léa** (..........).

6 J'APPLIQUE pour lire

Dans une partie de Saumur, vous **trouverez** de solides habitations trois fois centenaires ; leur originalité **contribue** à attirer les antiquaires et les artistes. Dans un renfoncement assez sombre, vous apercevrez la porte de la maison de monsieur Grandet. On attribuait à monsieur Grandet une fortune colossale et on pensait qu'il marierait sa fille à Adolphe des Grassins.

D'après Honoré de Balzac, *Eugénie Grandet* (1833).

a) **Souligne les compléments des deux verbes en gras, précise leur fonction exacte et leur classe grammaticale.** ....

b) **Encadre deux COS dans la dernière phrase.**

c) **Relève une subordonnée complément de verbe.** ....

7 J'APPLIQUE pour écrire

À ton tour, décris la ville dans laquelle tu aimerais vivre.

Consigne
- 10 lignes
- 6 COD
- 4 COI ou COS

Coche la couleur que tu as le mieux réussie.

- Relève de nouveaux défis ! → exercice 12 p. 69
- Améliore tes performances ! → exercice 13 p. 69
- Prouve que tu es un champion ! → exercices 14, 15 p. 69

La composition d'une phrase

1. Chasse à l'intrus **Barre les groupes qui ne peuvent pas constituer une phrase.**

viens • tu travailles • elle fait • nous chantons • elles semblent • elles se ressemblent • nous comprenons • tu es • elles ont l'air • vous courez • je m'ennuie • ils paraissent

2. Quiz **Coche les phrases vraies.**

1. Une phrase peut être constituée d'un seul mot. ☐
2. Il y a au moins deux mots dans une phrase. ☐
3. Un complément de phrase ne peut jamais être supprimé. ☐
4. Un attribut du sujet ne peut pas être supprimé. ☐

3. Méli-mélo **Utilise ces mots pour compléter les phrases puis relie-les à la bonne réponse.**

nos parents • à une compétition • Julie • contents • joyeuse • leur train

1. .... est en retard. •
2. Nous sommes .... •
3. Elle participe .... •
4. Ils ont raté .... •
5. .... arrivent. •
6. Tu parais .... •

• sujet
• attribut du sujet
• complément de verbe

4. Labo des mots **Indique si les groupes en gras sont compléments de phrase ou de verbe.**

1. Les architectes ont **souvent** de bonnes idées **pour aménager le territoire**.

....

2. **Lorsqu'il pleut**, je reste enfermé chez moi !

....

3. Je suis entouré **par des spécialistes très compétents**.

....

4. Les murs sont décorés **de tableaux**.

....

5. Je me promène **par monts et par vaux**.

....

5. QCM **Coche les bonnes réponses.**

	Sujet	Attribut	C. de verbe	C. de phrase
1. Vous avez des connaissances.	☐	☐	☐	☐
2. Je n'ai plus de nouvelles.	☐	☐	☐	☐
3. Elle fut prise d'un élan de joie.	☐	☐	☐	☐
4. On se verra bientôt.	☐	☐	☐	☐
5. Vous semblez motivés.	☐	☐	☐	☐

6. Charade

Mon premier est une note de musique. **Mon deuxième** est un pronom démonstratif un peu familier. **Mon troisième** ne dit pas la vérité. **Mon tout** est un complément de la phrase ci-dessous.

Réponse : ....

Nous les avons rencontrés ....

Sujet, verbe et attribut

7. Chasse aux intrus **Barre les groupes en gras qui ne sont pas sujets et souligne les vrais sujets.**

1. **Les enfants** jouent.
2. **Demain** nous reviendrons.
3. **Ainsi** s'achève l'histoire.
4. **Lui et moi** nous ressemblons beaucoup.

8. Méli-mélo **Retrouve les bonnes terminaisons dans la liste : s • es • es • e • s.**

1. Elles souhaitent devenir docteur ....
2. Ils se voient déjà président .... de la République.
3. Elle demeure très énervé .... malgré toutes mes tentatives pour la calmer.
4. Elles m'ont semblé très enjoué .... ce matin.
5. Pourquoi les choses sont-elles fait .... ainsi ?

9. Quiz **Coche les phrases vraies.**

1. L'attribut du sujet apporte des précisions sur le sujet. ☐
2. Il se rencontre après n'importe quel verbe. ☐
3. Il peut être un adjectif qualificatif. ☐
4. On peut le supprimer facilement. ☐

10. Grille **Retrouve huit mots cachés dans cette grille, puis utilise-les comme sujets ou attributs du sujet dans les phrases suivantes.**

Les noms sont au singulier et les adjectifs au masculin singulier, tu devras les accorder.

S	O	E	U	R	N
B	A	M	B	I	E
R	T	B	T	A	U
U	Y	N	O	A	F
N	A	V	R	E	M
G	E	M	L	A	C

1. Ces .... sont ....
2. Ma .... est ....
3. Ce .... s'appelle ....
4. La .... semble ....

11. QCM **Barre la ou les mauvaises réponses.**

1. Ils se révèlent compétent / compétents dans ce domaine.
2. La difficulté ne les arrête / arrêtent pas.
3. Lina et Sarah, malgré leur longue nuit de sommeil, paraissent épuisés / épuisées.

Les compléments de verbe (COD, COI, COS)

12. Mission impossible **Mission 1 : retrouve tous les COD et souligne-les. Attention, un COD peut en cacher un autre.**

1. Nous venons d'acheter une petite maison. Je l'aime bien.
2. Je viens d'apprendre une nouvelle qui me réjouit.
3. Elle aime confectionner des gâteaux. Nous les apprécions.
4. Les exercices que nous avons rédigés sont réussis ! Je vous félicite.
5. Je veux savoir la raison de son départ. La connais-tu ?

13. Mission impossible **Mission 2 : certains groupes en gras se font passer pour des COS, à toi de retrouver ceux qui le sont vraiment.**

	Vrai	Faux
1. Il **lui** a offert des fleurs.	☐	☐
2. Nous distribuons des vivres **à ceux qui en ont besoin**.	☐	☐
3. Elle ne **m'**a pas écrit depuis longtemps.	☐	☐
4. Le nom **dont** je me souviens est original.	☐	☐

14. Pyramide **Complète les phrases à l'aide des mots de la pyramide, puis indique à chaque fois leur fonction.**

1. Pronom personnel ou article défini masculin singulier
2. Pronom personnel de la 3e personne du singulier
3. Pronom personnel de la 1re personne du pluriel
4. Meuble où l'on peut travailler ou manger
5. Le père ou la mère

1	☐	☐				
2	☐	☐	☐			
3	☐	☐	☐	☐		
4	☐	☐	☐	☐	☐	
5	☐	☐	☐	☐	☐	☐

a. Je ne .... reconnais pas. ....
b. Elle .... a laissé son numéro. ....
c. Les enfants ne .... ont pas obéi. ....
d. Débarrasse la ....
e. J'ai envoyé un message aux ....

15. Devinette **Écris deux phrases dans lesquelles la réponse à la devinette sera soulignée et aura la fonction de COD puis de sujet.**

Devinette : plus il est chaud et plus il est frais. Qui est-il ?

Réponse : ....

....

....

....

....

25 La phrase complexe

J'observe

L'architecture de la ville a beaucoup changé ces derniers temps. Les lampadaires qui se trouvaient dans cette rue ont été retirés ; la ville fait des économies. Passe par là pour voir.

Souligne les deux phrases simples.

Combien y a-t-il de propositions dans la phrase complexe ? ....

Je retiens

Dans une phrase complexe, on peut rencontrer des **indépendantes** et/ou des **principales** et des **subordonnées**.

COMMENT LES INDÉPENDANTES SONT-ELLES RELIÉES ?

- Elles sont **juxtaposées**, simplement **séparées** par un signe de ponctuation faible.

  La porte était ouverte : je suis entrée.

- Elles sont **coordonnées**, reliées par une conjonction de coordination ou un adverbe de liaison (avec ou sans ponctuation faible) : *mais, ou, car, pourtant, puis, alors...*

  *Elle n'était pas là, je suis **donc** repartie.*

QU'APPELLE-T-ON PROPOSITIONS PRINCIPALE ET SUBORDONNÉE ?

- Une **proposition principale** est **complétée par une proposition subordonnée.**
- Celle-ci :

– n'a **pas de sens sans la proposition principale** dont elle dépend ;
– est introduite par un **subordonnant** ;
– a une **fonction grammaticale**.

*Pour me libérer de mes dettes je te doterai d'un château **où tu ne craindras plus les brigands**.*

- Il y a trois catégories de subordonnées :

– relatives ;
– conjonctives ;
– interrogatives indirectes.

Je m'entraîne

1 Sépare les propositions indépendantes et indique si elles sont juxtaposées ou coordonnées.

1. Il a plu toute la journée, nous n'avons pas pu aller la plage. ....

2. Elle n'a pas gagné cette course : en effet elle était blessée. ....

3. Nous sommes arrivés très tôt, Claire nous a rejoints et nous avons poursuivi la randonnée.

....

Utilise une conjonction de coordination ou un adverbe de liaison différent à chaque fois.

2 Remplace les pointillés par un adverbe ou une conjonction de coordination.

1. On dîne à l'ombre .... il fait trop chaud au soleil.
2. Le plat est délicieux .... tout le monde est content.
3. J'avale ma soupe .... dévore la viande .... n'ai plus faim pour un dessert.

3 Souligne en bleu les propositions indépendantes, en rouge les principales et surligne les subordonnées.

1. Hier, nous étions à la campagne ; nous ne sommes pas sortis parce qu'il pleuvait.
2. La maison où nous avons passé nos vacances était très agréable, mais nous ne pourrons pas y retourner l'an prochain.
3. Dis-moi pourquoi il est parti si vite ; je n'ai pas compris.

4 Souligne en bleu les propositions subordonnées.

1. où elle ne va jamais • il fait beau • venez nous voir • que nous ne comprenons pas
2. parce qu'elle a raté son train • nous nous sommes perdus • si tu travailles bien
3. qu'il est arrivé le premier • qui est arrivé le premier ? • pour que tu ne t'inquiètes pas

5 Complète ces groupes à l'aide d'une subordonnée conjonctive introduite par *que*.

1. Je pense .... • Je sais ....
2. Je crois .... • J'attends ....
3. Je veux .... • Il me semble ....

6 J'APPLIQUE pour lire

Denise était venue à pied de la gare Saint-Lazare, où un train de Cherbourg l'avait débarquée avec ses deux frères [...]. **Elle tenait par la main Pépé, et Jean la suivait, tous les trois brisés du voyage, effarés et perdus au milieu du vaste Paris** [...]. Mais, comme elle débouchait enfin sur la place Gaillon, la jeune fille s'arrêta net de surprise.

Émile Zola, *Au Bonheur des Dames* (1883).

a) **Quelles propositions trouve-t-on dans la phrase en gras ?** ....

....

....

b) **Souligne deux propositions subordonnées et encadre les subordonnants.**

7 J'APPLIQUE pour écrire

Tu as sans doute éprouvé un jour une grande surprise en découvrant une ville, un paysage ou un monument. Raconte cette expérience.

Consigne
- 4 propositions juxtaposées
- 4 propositions coordonnées
- 4 propositions subordonnées

Coche la couleur que tu as le mieux réussie.

- ☐ Relève de nouveaux défis ! ⟶ exercices 1, 2 p. 76
- ☐ Améliore tes performances ! ⟶ exercices 3, 4 p. 76
- ☐ Prouve que tu es un champion ! ⟶ exercice 5 p. 76

Chacun son rythme

26 Les subordonnées essentielles

J'observe

Je voudrais *que nous nous promenions ensemble*. Je crains *que nous nous perdions*. Je me demande *si nous retrouverons notre chemin*.

Quels mots introduisent les propositions en italique ? ....

Indique la fonction de ces trois propositions. ....

Je retiens

A QUELLES SONT LES CLASSES GRAMMATICALES DE CES SUBORDONNÉES ?

- Les **conjonctives** introduites par la conjonction de subordination *que*.

  *Je veux **que** tu viennes.*

- Les **interrogatives indirectes** introduites par un pronom (*qui, ce que...*), un déterminant (*quel*) ou un adverbe (*comment, pourquoi, si...*) interrogatifs.

  *Il m'a demandé **pourquoi** tu étais partie.*

  *Il m'a demandé **quelle** direction était la bonne.*

  *Il a voulu savoir **si** tu venais.*

Remarque : les interrogatives indirectes correspondent à une question insérée dans un récit (▶ fiche 40).

B QUELLES SONT LEURS PRINCIPALES FONCTIONS ?

- Les **interrogatives indirectes** sont **toujours COD**.
- Les **conjonctives** peuvent être :

– **COD**. *Je sais **qu'il va bien**.*

– **sujet / sujet logique**. ***Qu'il soit présent** est ce qui compte. il est certain **qu'il est le plus fort**.*

– **attribut du sujet**. *Le plus étonnant est **qu'il ne s'est aperçu de rien**.*

Je m'entraîne

1 Souligne les subordonnées essentielles et indique s'il s'agit d'une conjonctive ou d'une interrogative indirecte.

1. Je ne sais pas quand vous rentrerez. ....

2. Je viens d'apprendre qu'il est revenu. ....

3. Je souhaite qu'il fasse beau demain. ....

4. Il faut se demander pourquoi il est parti. ....

5. Je ne sais pas si tu viens. ....

6. L'homme aperçu ce matin, il se peut que je le connaisse. ....

2 Indique la classe grammaticale et la fonction des subordonnées en gras.

1. Il ne sait pas **pourquoi elle n'était pas là**. ....

2. **Qu'il soit encore en retard** ne m'étonne pas. ....

3. Il est surprenant **qu'elle n'ait pas envoyé de message**. ....

3 Souligne en rouge les conjonctives, en bleu les relatives et surligne les interrogatives indirectes.

Une relative complète un nom, et peut être supprimée facilement.

1. La robe que tu portes est très jolie. • Je crois juste qu'il faut réfléchir.
2. J'ai lu un livre qui m'a beaucoup plu. • Il se peut que tu aies fait une erreur.
3. J'ignore qui a fait cela. • Qu'il agisse ainsi ne me regarde pas.

4 Souligne en bleu les subordonnées essentielles et en rouge les interrogatives indirectes.

1. Je me demande quand il partira. • Quand il pleut, je ne sors pas.
2. Si tu es sage, tu auras un cadeau. • Dis-moi quand tu rentreras.
3. Il ignorait quand auraient lieu les élections, il ne savait même pas si la date était fixée.

5 Complète ces groupes à l'aide des subordonnées demandées.

1. DEUX CONJONCTIVES COORDONNÉES Je pense ....
2. DEUX INTERROGATIVES INDIRECTES COORDONNÉES Je me demande ....
....
3. CONJONCTIVE, PUIS INTERROGATIVE INDIRECTE Nous savons ....
....

6 J'APPLIQUE pour lire

De là était né son vif désir de connaître le baron Hartmann lorsqu'il avait appris que le Crédit Immobilier prenait l'engagement de percer et d'établir la rue du Dix-Décembre. Il avait su aussi que le Crédit Immobilier faisait, secrètement, acheter les maisons du pâté où se trouvait le Bonheur des Dames. Il demanda donc au baron ce qu'il allait faire de ses terrains et de ses immeubles et ajouta qu'il avait une idée extraordinaire.

D'après Émile Zola, *Au Bonheur des Dames* (1883).

a) Souligne dans le texte trois subordonnées conjonctives COD.

b) Relève une interrogative indirecte. ....
....
....

7 J'APPLIQUE pour écrire

Dans le roman de Zola, Octave Mouret envisage de bâtir un immense magasin. Et toi, aimes-tu les grands centres commerciaux ? Justifie ton point de vue.

Consigne
- 12 phrases
- 4 conjonctives
- 4 interrogatives indirectes

Coche la couleur que tu as le mieux réussie.

Relève de nouveaux défis ! → **exercices 6, 7 p. 76**
Améliore tes performances ! → **exercices 8 p. 76 et 9 p. 77**
Prouve que tu es un champion ! → **exercice 10 p. 77**

Chacun son rythme

27 L'emploi des modes dans les subordonnées essentielles

J'observe

Gervaise n'*aime* pas **que son époux aille à l'Assommoir.** Elle *déteste* **qu'il soit dehors si tard.** Elle *apprécie* **qu'il soit à la maison avant la tombée de la nuit.**

Qu'expriment les verbes en italique ? ....

Quel est le mode utilisé dans les subordonnées en gras ? ....

Je retiens

QUAND UTILISE-T-ON L'INDICATIF DANS CES SUBORDONNÉES?

Lorsqu'elles sont:

- **Interrogatives indirectes.** *Il demande pourquoi il **est** parti. Sais-tu s'il **revient** demain ?*
- **Conjonctives** COD ou sujet logique d'un verbe exprimant l'**affirmation**, la **certitude**, la **croyance**. *Je sais qu'il **va** bien. Je suis certain qu'il **va** bien. Je pense qu'il **va** bien. Il est évident qu'elle **est** la meilleure.*
- **Attribut d'un sujet exprimant une certitude.** *Ma conviction est qu'il **est** innocent.*

QUAND UTILISE-T-ON LE SUBJONCTIF DANS CES SUBORDONNÉES?

Lorsqu'elles sont:

- **Conjonctives sujet.** *Que tu **sois** venu m'a fait plaisir.*
- **COD ou sujet logique** d'un verbe exprimant un **effort**, un **sentiment**, un **doute**, une **possibilité**, ou une **impossibilité**. *Il se **peut** qu'il soit malade. Je déteste qu'il s'y **prenne** de cette façon.*
- **COD d'un verbe à la forme négative ou interrogative** (emploi qui n'est pas systématique). *Je ne pense pas qu'il **soit** coupable / qu'il **est** coupable.*
- **Attribut du sujet** d'un verbe exprimant un **doute**, un **sentiment**, une **incertitude**. *Ma crainte est qu'il **ait eu** un accident.*

Je m'entraîne

1 **Surligne le mot introducteur et souligne le verbe de la subordonnée en rouge s'il est à l'indicatif, en bleu s'il est au subjonctif.**

1. Il faut que le guide apprenne l'histoire de Milan.
2. Le cocher se demande pourquoi son cheval ralentit.
3. Il est possible qu'il faille traverser la ville, pour s'y rendre.
4. Dis-moi comment on se rend sur les Grands Boulevards.
5. Qu'il appelle à cette heure-là m'étonnerait beaucoup.
6. J'imagine qu'il marche vers nous, à cette heure.

2 **Indique le mode des verbes en gras dans les subordonnées et justifie-le.**

1. Il se demande quelles chaussures il **doit** prendre pour randonner.

Mode: .... Justification: ....

2. Il sait que Lara **est** perdue. Mode: ....

Justification: ....

3. Il ne pense pas qu'elle **retrouve** son chemin.

Mode: .... Justification: ....

3 **Transforme les indépendantes en subordonnées. Précise leur classe grammaticale et leur mode.**

1. Est-ce que tu pars demain ?

Il se demande ....

2. Paul fait trop de jeux de mots.

Il est possible que ....

3. C'est ce dont il a besoin.

Je ne suis pas certain ....

4 **J'APPLIQUE pour lire**

Coqueville mériterait un historien. Il semble certain **que le village fut fondé par les Mahé** [...]. Sous Louis XIII apparaît un Floche. On ne sait trop d'où il venait. Il épousa une Mahé et dès ce moment on raconte que les Floche prospérèrent à leur tour et finirent peu à peu par absorber les Mahé.

D'après Émile Zola, *La Fête à Coqueville* (1898).

a) **Indique la classe grammaticale et la fonction de la subordonnée en gras.** ....

....

b) **Réécris-la en remplaçant *il semble certain* par *il se peut*. À quel mode le verbe sera-t-il ?** ....

....

....

c) **Souligne deux subordonnées COD et indique leurs classes grammaticales.** ....

....

5 **J'AMÉLIORE mon orthographe**

Complète les phrases en choisissant dans la liste proposée.

1. mord • mort • mords • morde

Il est possible qu'il te .... si tu ne cours pas assez vite. Dis-moi pourquoi tu .... les gens à la piscine !

2. court • cour • coures • cours

Il faut que tu .... car tu es en retard. Dis-moi pourquoi il .... comme cela.

3. est • ait • haie • ai

Je voudrais qu'il .... confiance en lui ! Je sais qu'il n'.......................... pas toujours agréable... Tu sais bien pourquoi j'.......... tant de travail en ce moment.

Coche la couleur que tu as le mieux réussie.

- Relève de nouveaux défis ! ⟶ exercices 11, 12 p. 77
- Améliore tes performances ! ⟶ exercice 13 p. 77
- Prouve que tu es un champion ! ⟶ exercice 14 p. 77

Chacun son rythme

La phrase complexe

1. Méli-mélo **Relie les types de proposition aux affirmations qui les concernent.**

1. Elles sont reliées par des conjonctions de coordination. •
2. Elles sont introduites par des conjonctions de subordination. •
3. Elles sont séparées par des signes de ponctuation. •
4. Elles sont indépendantes. •
5. Elles dépendent d'une proposition principale. •

• juxtaposées
• coordonnées
• subordonnées

2. Chasse à l'intrus **Barre les phrases simples.**

1. La voiture dont tu te sers est en panne.
2. La famille de ma tante va au marché tous les dimanches.
3. La sœur de mon père habite au nord et son frère vit au sud.
4. Son frère et sa sœur sont plus âgés que lui.
5. Il court vite, il saute haut, il frappe fort.
6. J'aimerais que tu me préviennes tôt.

3. Range-phrases **Observe les propositions en gras, puis classe-les dans le tableau par le numéro.**

1. Le gâteau est gros **mais le désir est sans fin**.
2. Le temps passe, **les sentiments persistent**.
3. J'adore **quand nous sortons toute la journée**.
4. Je suis venu, **j'ai vu**.
5. Les livres **que j'ai aimés** m'appartiennent à jamais.
6. Allons-nous à Rio ou **restons-nous à Lille, cet été ?**

Juxtaposées	Coordonnées	Subordonnées
....	....	....

4. Bouche-trous **Ces subordonnées n'ont pas de principales, inventes-en !**

1. .... que tu n'as pas encore perdu tes clés.
2. .... où j'habite.
3. .... pourquoi tu t'énerves ainsi.
4. .... que nous sommes toujours les bienvenus.

5. Charade

Mon premier est le participe passé du verbe *savoir*.
Il ne faut pas trop s'approcher de **mon deuxième**.
Mon troisième est le contraire de *pris*. **Mon tout** est le nom d'une proposition.

Réponse : ....

Les subordonnées essentielles

6. QCM **Coche les phrases vraies.**

1. Les subordonnées essentielles sont déplaçables et supprimables. ☐
2. Elles ne sont ni déplaçables, ni supprimables. ☐
3. Les interrogatives indirectes sont toutes introduites par une conjonction de subordination. ☐
4. Les conjonctives sont toutes introduites par une conjonction de subordination. ☐

7. Range-mots **Souligne le mot qui introduit la subordonnée essentielle, et classe-le selon le type de subordonnée qu'il introduit.**

1. Tu vois que la ville est belle sous la lune.
2. Dis-moi quand tu le rencontreras.
3. Sais-tu pourquoi le magasin a fermé ?
4. Il faudrait savoir si le bus s'arrête ici.
5. Je me demande quel est son quartier préféré.
6. Il faut que tu viennes visiter Prague avec moi !

Conjonctive	Interrogative indirecte
....	....
....	....

8. Bouche-trous **Remplace les pointillés par le mot introducteur manquant.**

1. Je ne sais pas .... elle a envie de vivre dans une aussi grande ville.
2. Sais-tu .... il est rentré en taxi ?
3. Je me demande .... aura lieu leur prochain match.
4. J'espère .... tu rentreras à temps pour la fête.
5. Tu verras .... j'ai agencé l'appartement.

9. Range-phrases **Indique la classe grammaticale des propositions en gras.**

1. Tu attends **que je parte** pour me voler ma chambre !
....
2. Il faudrait savoir **pourquoi le croisement a été aussi mal pensé !** ....
3. Je ne crois pas **que tu sois le mieux placé pour parler.**
....
4. Il ne sait toujours pas **s'il veut partir au Pérou.**
....
5. Nous n'avons jamais voulu savoir **comment il aurait fallu agir alors.** ....

10. Charade **Résous la charade puis complète la phrase par une interrogative indirecte introduite par le mot trouvé.**

Mon premier est le contraire de *contre*. **Mon second** est l'onomatopée qui représente le cri de la grenouille. On peut introduire des interrogatives indirectes avec **mon tout**.

Réponse : ....

Je ne vois pas ....
....

L'emploi des modes dans les subordonnées essentielles

11. Quiz **Barre les phrases fausses.**

1. On utilise toujours le subjonctif dans les interrogatives indirectes.
2. On utilise toujours l'indicatif dans les subordonnées conjonctives.
3. Lorsque le verbe introducteur exprime la possibilité, la conjonctive est au subjonctif.
4. Lorsque le verbe introducteur exprime la certitude, la conjonctive est à l'indicatif.

12. Méli-mélo **Souligne le verbe de chaque subordonnée puis relie-le à son mode.**

Qu'il soit là te déplait.	•	
Il faut que tu tiennes tes engagements.	•	• indicatif
Il ne sait pas pourquoi il vit dans une grande ville.	•	• subjonctif
Mon plus grand plaisir est que je peux me lever après 10 h 00 du matin.	•	
Il est possible qu'il reste ici à tout jamais.	•	

13. Range-mots **Conjugue les infinitifs dans les phrases. Attention au mode !**

avoir • être • pouvoir • savoir • être • aller • pouvoir

1. Que tu .... à Paris me semble inutile.
2. Il est vrai que nous .... isolés dans le quartier.
3. La vérité est que l'art ...... indispensable à la vie.
4. Je doute que nous le .... un jour...
5. Sais-tu s'il .... rentrer ?
6. Je crois qu'elles ...... beaucoup de retard.
7. Ne crois-tu pas qu'il .... gagner ?

14 Chasse à l'intrus **Barre l'intrus qui s'est glissé dans ces groupes de phrases. Explique en quoi il s'agit d'un intrus.**

1. Il faut que tu partes.
Il est évident qu'elle est la meilleure.
Il est nécessaire qu'il le sache.
....
....

2. Je ne sais pas s'il vient.
Tu te demandes quand il arrive.
Je sais qu'elle a gagné la course.
....
....

3. Il se peut qu'il t'en veuille.
Il est probable qu'il reste.
Je doute qu'il soit satisfait.
....
....

28 Les compléments de phrase (compléments circonstanciels)

J'observe

Tout l'après-midi, il s'est promené dans la ville à la recherche d'un appartement à louer.

Souligne en bleu le complément circonstanciel de lieu, en vert celui de temps et en rouge celui de but.

La phrase garde-t-elle un sens si tu supprimes ces compléments circonstanciels ? ....

Je retiens

A QU'EST-CE QU'UN COMPLÉMENT DE PHRASE ?

- Les compléments de phrase précisent dans quelles **circonstances** se déroule l'action.
- Ce ne sont **pas des compléments essentiels** : si on les supprime, la phrase conserve un sens.

B QUELS SONT LES PRINCIPAUX COMPLÉMENTS DE PHRASE ?

Complément circonstanciel	Signification	Exemple
lieu (CCL)	situer dans l'espace	*Il se promène* ***en ville****.*
temps (CCT)	situer dans le temps	*Il est parti* ***hier****.*
manière (CCma)	comment se déroule l'action	*Elle entre* ***en silence****.*
moyen (CCmo)	avec quel objet on agit	*Il joue* ***avec sa balle****.*
accompagnement	avec qui on agit	*Je pars* ***avec ma sœur****.*
cause	ce qui a provoqué l'action	*Il rentre* ***à cause de la pluie****.*
conséquence	ce qui résulte de l'action	*Il a couru* ***à en perdre haleine****.*
but	l'objectif qu'on poursuit	*Il court* ***pour gagner****.*
comparaison	comparer deux éléments	*Elle court* ***comme une gazelle****.*

C QUELLES SONT LEURS CLASSES GRAMMATICALES ?

- Un nom ou un GN. *Il a plu* ***toute la journée****.* (CCT)
- Un pronom. ***Grâce à toi****, nous avons gagné.* (CC de cause)
- Un verbe (ou un groupe) à l'infinitif. *Je suis venu* ***pour te voir****.* (CC de but)
- Un gérondif. *Elle travaille* ***en écoutant de la musique****.* (CCma)
- Un adverbe. *Nous sommes rentrés* ***hier****.* (CCT)
- Une proposition subordonnée. *Il écrit* ***comme il parle****.* (CC de comparaison)

Je m'entraîne

1 Identifie les compléments de phrase en gras.

1. **À cause de la pollution**, ils ne veulent plus vivre en ville. ....
2. **Demain**, je me lève tôt **pour partir en vacances**. ....
3. **Chaque jour**, il s'entraîne **comme un champion pour progresser**. ....

2 Souligne puis identifie les compléments de phrase.

1. Il est parti sans se retourner. ....

2. En entrant, elle a ouvert les fenêtres pour aérer. ....

3. Le samedi, quand il fait beau, il va courir, pour rester en forme. ....

3 Souligne puis identifie les compléments de phrase introduits par *pour*.

1. Nous sommes inscrits à ce cours pour toute l'année. ....

2. Nous sommes venus pour faire votre connaissance. ....

3. Elle est tombée malade pour avoir mangé trop de chocolat. ....

Pour peut introduire le temps, la cause, le but.

4 Indique la fonction exacte et la classe grammaticale des compléments de phrase en gras.

1. **Grâce à lui**, nous sommes arrivés **à l'heure**. ....

2. Place-toi **devant moi**, **afin de mieux voir**. ....

3. Je partirai **par le train**, **avec mes parents**. ....

5 Complète ces phrases par le complément de phrase indiqué.

1. Nous irons visiter nos amis (CCL) ....

2. Nous irons visiter nos amis (CCmo) ....

3. Nous irons visiter nos amis (CC de comparaison) ....

6 Complète ces phrases en suivant les indications.

1. Ils se sont bien amusés (adverbe, CCT) ....

2. Il ne voulait pas partir (pronom personnel, CC d'accompagnement) ....

3. Nous sommes revenus plus tôt (groupe infinitif, CC de but) ....

7 J'APPLIQUE pour lire

Par-delà les vagues de toits, j'aperçois une femme mûre, ridée déjà, pauvre, toujours penchée sur quelque chose, et qui ne sort jamais. Avec son visage, avec son vêtement, avec son geste, avec presque rien, j'ai refait l'histoire de cette femme, ou plutôt sa légende, et quelquefois, je me la raconte à moi-même en pleurant.

Charles Baudelaire, *Le Spleen de Paris*, « Les fenêtres » (1869, posthume).

a) **Souligne les compléments de phrase.**

b) **Relève un CCT, un CCL, un CCma et un CCmo. Indique à chaque fois la classe grammaticale.**

....

....

....

....

....

8 J'APPLIQUE pour écrire

Tu as sans doute un jour imaginé la vie d'un(e) inconnu(e) rencontré(e) dans un train, un bus. Raconte cet épisode.

Consigne
- 20 lignes
- 10 CC dont 5 différents

Coche la couleur que tu as le mieux réussie.

Relève de nouveaux défis! → **exercices 1, 2 p. 86**
Améliore tes performances! → **exercice 3 p. 86**
Prouve que tu es un champion! → **exercice 4 p. 86**

29 Les subordonnées de temps

J'observe

Avant que le spectacle commence, le public est souvent impatient.

Quelle est la fonction de la proposition en gras ? ....

L'action de la principale a-t-elle lieu avant ou après ? ....

Je retiens

A QU'EXPRIME UNE SUBORDONNÉE DE TEMPS?

- Elle peut indiquer une **date**, une **durée** ou une **fréquence**.
- Elle établit un **repère temporel** par rapport à la proposition principale : avant (**antériorité**), après (**postériorité**), en même temps (**simultanéité**).

B PAR QUELLES CONJONCTIONS EST-ELLE INTRODUITE?

- ***Quand, lorsque***... pour exprimer une **date**. *Il part **quand** le jour se lève.*
- À ***chaque fois que, toutes les fois que***... pour exprimer une **répétition**. ***À chaque fois qu'****il vient, nous nous précipitons pour l'accueillir.*
- ***Tant que, aussi longtemps que***... pour exprimer la **durée**. **Tant qu'***elle habita le pays, elle fut heureuse.*
- ***Avant que, jusqu'à ce que***... lorsque l'action de la principale se situe avant celle de la subordonnée (= **antériorité**).
- ***Pendant que, tandis que, alors que***... lorsque l'action de la principale se situe en même temps que celle de la subordonnée (= **simultanéité**).
- ***Après que, une fois que, dès que***... lorsque l'action de la principale se situe après celle de la subordonnée (= **postériorité**).

C À QUEL MODE SON VERBE EST-IL CONJUGUÉ?

- Quand la subordonnée exprime l'**antériorité**, le verbe est au **subjonctif**.
- Dans les **autres subordonnées** de temps, le verbe est à l'**indicatif**.

Avant qu'elle (ne) dorme. (subjonctif présent) / *Après qu'elle a dormi.* (indicatif passé composé)

Je m'entraîne

1 Souligne les propositions subordonnées de temps.

1. Lorsque les portes s'ouvrent, la foule envahit la salle de spectacle.
2. Les acteurs reviennent sur scène une fois que le spectacle est terminé, pour saluer.
3. Tant que la pièce a duré, l'émotion a été intense, jusqu'à ce que le rideau tombe.

2 Souligne les subordonnées et précise si elles expriment la date, la durée ou la répétition.

1. Je me réjouis à chaque fois que les vacances approchent. ....
2. Il n'a pas bougé tant que la tempête a fait rage. ....
3. Dès que le soleil s'est levé, il est parti. ....

3 Souligne les subordonnées de temps et précise si l'action de la principale est simultanée, antérieure ou postérieure.

1. Rentrons avant que la nuit tombe. ....
2. Rentrons pendant qu'il fait encore jour. ....
3. Quand les spectateurs ont fini d'applaudir, ils quittent la salle. ....

4 Complète ces phrases par une conjonction introduisant la subordonnée.

1. .... il parut, le silence se fit.
2. .... elle eut fini son roman, elle en entama un autre.
3. Ils ont agité leurs mains .... le bateau disparaisse.

5 Conjugue le verbe au temps et au mode voulus par le contexte puis précise-les.

1. Quand le bébé (pleurer) ...., tu lui donneras son biberon.
2. Je recommencerai jusqu'à ce que mon travail (être) .... parfait.
3. Après qu'il (manger) .... son dessert, il sortit.

6 Remplace le complément de phrase en gras par une subordonnée de temps.

1. **Pendant le spectacle**, éteignez vos portables. ....
2. **Après le spectacle**, le public quitta la salle. ....
3. Elle se mit à l'abri **avant l'orage**. ....

7 J'APPLIQUE pour lire

À mesure que le comédien approchait, le calme se rétablit. Cependant, tandis qu'il s'adressait au public, la satisfaction, l'admiration unanimement excitées par son costume se dissipaient à ses paroles ; et quand il arriva à cette conclusion malencontreuse : « Dès que l'éminentissime cardinal sera arrivé, nous commencerons », sa voix se perdit dans un tonnerre de huées.

D'après Victor Hugo, *Notre-Dame de Paris* (1831).

a) **Souligne quatre subordonnées de temps.**

b) **Encadre les conjonctions qui les introduisent.**

c) **Complète les phrases :**

Dans le récit, l'action des principales est .... à celui des subordonnées.

Dans le dialogue, elle est ....

8 J'APPLIQUE pour écrire

Toi aussi, il t'est arrivé d'attendre un spectacle ou un événement. Raconte dans quelles circonstances et ce qui arriva.

Consigne
- 15 lignes
- 5 subordonnées de temps

Coche la couleur que tu as le mieux réussie.

- ☐ Relève de nouveaux défis ! → exercices 5, 6 p. 86
- ☐ Améliore tes performances ! → exercice 7 p. 86
- ☐ Prouve que tu es un champion ! → exercice 8 p. 86-87

30 Les subordonnées de cause, conséquence et but

J'observe

Parce que le professeur l'a demandé, Paul achète *Notre-Dame de Paris*. Mais il n'a pas pris la bonne édition si bien qu'il doit racheter un autre livre.

Pourquoi Paul a-t-il acheté *Notre-Dame de Paris* ? ....

Souligne dans le texte la proposition qui l'indique. C'est un complément de ....

Quelle est la conséquence de l'erreur de Paul ? ....

Surligne dans le texte la proposition qui l'indique. C'est un complément de ....

Je retiens

A LA SUBORDONNÉE COMPLÉMENT DE CAUSE

- Elle précise **ce qui a provoqué l'action** exprimée dans la principale.
- Elle est introduite par les **conjonctions** *parce que, puisque, étant donné que* ou *comme*.
- Son verbe est à l'**indicatif**.

*Il se promène **parce qu**'il **fait** beau.*

B LA SUBORDONNÉE COMPLÉMENT DE CONSÉQUENCE

- Elle précise le **résultat** de l'action exprimée dans la principale.
- Quand elle est introduite pas les **conjonctions** *de sorte que, si bien que, au point que, tant… que, tellement… que, si… que, tel… que,* son verbe est à l'**indicatif**.
- Quand elle est introduite pas les **conjonctions** *trop… pour que* ou *assez… pour que*, son verbe est au **subjonctif**.

*Il a **tellement** mangé **qu**'il **est** tombé malade.* (indicatif)

*Il a **trop** tardé **pour qu**'il **soit** à l'heure.* (subjonctif)

C LA SUBORDONNÉE COMPLÉMENT DE BUT

- Elle précise l'**objectif poursuivi** par celui qui accomplit l'action de la principale.
- Elle est introduite par les **conjonctions** *pour que, afin que, de crainte que,* ou *de peur que*.
- Son verbe est au **subjonctif**.

*Il prend son équerre **de peur qu**'il en **ait** besoin en cours de maths.*

Je m'entraîne

1 Surligne la conjonction et indique la fonction exacte des subordonnées en gras.

1. Je vais à Paris **parce que j'y ai une réunion importante**. ....

2. Je fais les courses **pour que vous puissiez cuisiner**. ....

3. Tu n'as pas trouvé la réponse **si bien que tu t'es énervé**. ....

4. **Comme je veux réussir**, je travaille beaucoup. ....

5. Ils se dépêchent **de crainte que ça ne soit fermé**. ....

6. Hélène a **tellement** peu dormi **qu'elle écrit n'importe quoi**. ....

2 **Conjugue le verbe de ces subordonnées au bon mode et précise leur fonction.**

1. Puisqu'elle (vivre) .... à la campagne, elle cultive ses légumes. ....

2. Le gâteau est resté trop longtemps au four pour qu'il (être) .... bon. ....

3. Il avait allumé le GPS afin que nous (trouver) .... la bonne route. ....

3 **Réécris ces phrases en faisant de la deuxième proposition une subordonnée de la fonction indiquée.**

Attention : *donc et car n'introduisent pas des subordonnées!*

1. Je ne peux pas te téléphoner. Je suis occupé.

(cause) ....

2. Ton réveil n'a pas sonné. Tu es retard.

(conséquence) ....

3. Je vous prête de l'argent. Vous vous achèterez une nouvelle voiture.

(but) ....

4 **Invente des subordonnées de la fonction indiquée.**

1. J'ai offert des fleurs à Marie **CAUSE** ....

2. Elle change les piles du réveil **BUT** ....

3. Ils lui ont acheté un cadeau si cher **CONSÉQUENCE** ....

5 J'APPLIQUE pour lire

Une rue était devant lui ; il la trouva si noire et si abandonnée qu'il s'y enfonça. Au bout de quelques instants, **son pied heurta un obstacle. Il trébucha et tomba**. [...] Alors, il lui vint une solution désespérée. C'était, puisqu'il ne pouvait échapper au pape des fous [...], de s'enfoncer hardiment au cœur même de la fête et d'aller à la place de Grève.

Victor Hugo, *Notre-Dame de Paris* (1831).

a) **Souligne en bleu une subordonnée de cause et encadre la conjonction qui l'introduit.**

b) **Souligne en rouge une subordonnée de conséquence et surligne la conjonction qui l'introduit.**

c) **Réécris le passage en gras en transformant la première proposition en subordonnée de cause.** ....

....

....

6 J'APPLIQUE pour écrire

As-tu déjà visité des lieux inquiétants dans une ville ? Raconte ton aventure en expliquant ce qui t'y a conduit(e) et quelle émotion tu as éprouvée alors.

Consigne

- 15 lignes
- 2 subordonnées compléments de phrase de chaque catégorie

Coche la couleur que tu as le mieux réussie.

- ☐ Relève de nouveaux défis ! → exercice 9 p. 87
- ☐ Améliore tes performances ! → exercice 10 p. 87
- ☐ Prouve que tu es un champion ! → exercice 11 p. 87

31 Les subordonnées de condition, concession et comparaison

J'observe

Si Gringoire n'était pas allé place de Grève, il n'aurait pas rencontré Esmeralda.

À quelle condition Gringoire n'aurait-il pas rencontré Esmeralda ? ....

Souligne dans le texte la proposition qui l'indique. Quel mot l'introduit ? ....

Je retiens

LA SUBORDONNÉE COMPLÉMENT DE CONDITION

- Elle précise **à quelle condition** l'action de la principale peut s'accomplir.
- Quand elle est introduite par la conjonction ***si***, son verbe est à l'**indicatif**.

  ***Si** vous **êtes** gentils, vous aurez un cadeau.*

- Quand elle est introduite par les **conjonctions** *à condition que, à supposer que, pour peu que, pourvu que, en admettant que, soit que… soit que…*, son verbe est au **subjonctif**.

  ***À supposer que** tu **sois** là de bonne heure, on ira au restaurant.*

LA SUBORDONNÉE COMPLÉMENT DE CONCESSION

- Elle précise **ce qui aurait pu s'opposer** à l'action de la principale.

  ***Alors qu'**ils sont fatigués, ils continuent à travailler.*

- Quand elle est introduite par les **conjonctions** *alors que, même si*, son verbe est à l'**indicatif**.
- Quand elle est introduite par les conjonctions *bien que, encore que, quoique, sans que, quelque… que* ou *si*, son verbe est au **subjonctif**.

  ***Même si** tu **es** en vacances, tu continues à t'entraîner en grammaire.* (indicatif)

  ***Quoiqu'**il **fasse** beau, vous n'irez pas vous promener.* (subjonctif)

LA SUBORDONNÉE COMPLÉMENT DE COMPARAISON

- Elle établit un **rapprochement** avec l'idée de la principale.
- Elle est introduite par les **conjonctions** *comme, de même que, ainsi que, tel que, autrement que, autre que, aussi… que, autant… que, moins… que*, ou *plus… que*.
- Son verbe est à l'**indicatif**.

  *Tout s'est passé **comme** on l'**avait prévu**.*

- **Remarque :** le verbe est souvent **sous-entendu** pour éviter une répétition.

  *Il s'habille **comme** Marie (s'habille).*

Je m'entraîne

1 Souligne les subordonnées compléments de phrase et indique leur fonction exacte.

1. Bien que tu sois très frileux, tu n'as pas pris de pull. ....

2. La conférence s'est déroulée ainsi que nous l'avions imaginé. ....

3. Pour peu que ce soit complet, nous irons voir un autre film. ....

2 Conjugue les verbes des subordonnées et indique leur fonction exacte.

1. Vous êtes restés plus longtemps que je ne le (PENSER) ....
2. Nous avons fait la vaisselle sans que nous en (AVOIR) .... vraiment envie. ....
3. À supposer que je (ÊTRE) .... absente, Pauline me remplacera. ....

3 Observe le temps et le mode de la principale et utilise le bon temps après *si*.

1. Si tu (SORTIR) ...., tu achèteras le pain.
2. Si tu (REGARDER) .... ce reportage, tu serais étonnée.
3. Si vous (ARRIVER) .... plus tôt, vous auriez eu de meilleures places.

4 Complète ces phrases avec les subordonnées compléments de phrase demandées.

1. CONDITION .... je joue au Monopoly avec mes parents.
2. CONCESSION .... il n'est pas fatigué.
3. COMPARAISON .... il est devenu pâtissier.

5 Souligne les subordonnées de comparaison, et précise leur sens.

1. Ils ont voyagé autant que leurs amis. ....
2. Vous les voyez bien moins souvent que Paul. ....
3. Il est resté tel que je l'avais connu. ....

Les subordonnées de **comparaison** peuvent exprimer la ressemblance, la différence, l'égalité, la supériorité ou l'infériorité.

6 Indique la fonction exacte des subordonnées en gras.

1. **Comme je l'ai acheté hier**, je n'ai pas encore essayé mon stylo. ....
2. **Comme je l'avais prévu**, j'ai acheté mon nouveau stylo hier. ....
3. **Comme j'achetais mon stylo**, je me suis fait voler mon portefeuille. ....

7 J'APPLIQUE pour lire

[Ils ne trouvèrent] rien de plus simple alors qu'un procès de sorcellerie intenté à un animal. Cependant, le procureur en cour d'église s'était écrié : « Si le démon qui possède cette chèvre persiste dans ses maléfices, […] nous le prévenons que nous serons forcés de requérir contre lui le gibet ou le bûcher. »

Victor Hugo, *Notre-Dame de Paris* (1831).

a) **Souligne en bleu une subordonnée de condition et surligne la conjonction qui l'introduit.**

b) **Souligne en rouge une subordonnée de comparaison et encadre la conjonction qui l'introduit.**

c) **Précise son sens.** ....
....

8 J'APPLIQUE pour écrire

Toi aussi, tu as été victime ou témoin d'une injustice. Raconte ce que tu as éprouvé alors.

Consigne
- 15 lignes
- 1 subordonnée complément de phrase de chaque catégorie

Coche la couleur que tu as le mieux réussie.

- ☐ Relève de nouveaux défis ! → **exercice 12 p. 87**
- ☐ Améliore tes performances ! → **exercice 13 p. 87**
- ☐ Prouve que tu es un champion ! → **exercice 14 p. 87**

Les compléments de phrase

1. Range-mots Classe ces mots ou groupes de mots dans la bonne colonne.

1. ici. 2. plus tard. 3. pour se retrouver. 4. à cause de toi. 5. bien. 6. aujourd'hui. 7. rapidement. 8. en vue de nos prochaines vacances. 9. grâce à ton aide. 10. sans hésiter.

Lieu	Temps	Manière	Cause	But
....	....	....	....	....
....	....	....	....	....

2. Quiz Coche les phrases vraies.

1. Le CC de lieu situe l'action dans l'espace. ☐
2. Le CC de cause indique le résultat de l'action. ☐
3. Le CC de but indique l'intention qui guide l'action. ☐
4. Le CC de comparaison est toujours introduit par *comme*. ☐

3. Charade

La vache se nourrit dans **mon premier**. Avec **mon deuxième**, on coupe du bois. **Mon troisième** permet de calculer l'aire ou la circonférence d'un cercle. **Mon quatrième** est un déterminant possessif féminin de la 2e personne du singulier. **Mon cinquième** ne dit pas la vérité. **Mon tout** est un adverbe que tu devras utiliser pour rédiger une phrase en précisant sa fonction.

Réponse: ....

....

Fonction de l'adverbe: ....

4. Labo des mots Complète les phrases avec les CC indiqués. Tu peux les placer où tu veux !

1. Nous avons fait une longue promenade (+ adverbe, CCT et infinitif, CC de but)

....

....

2. Notre maison est très ensoleillée (+ GN, CCL et subordonnée, CC de conséquence)

....

....

Les subordonnées de temps

5. Chasse à l'intrus Barre toutes les subordonnées qui ne sont pas CCT.

quand nous sortirons • dont je me souviens • avant qu'elle arrive • dès qu'il partira • parce que c'est trop loin • jusqu'à ce que vous arriviez • lorsque tu reviendras • pour que tout le monde soit content • pendant que tu dors • en attendant que la pluie cesse

6. Range-phrases Classe les numéros des subordonnées dans la bonne colonne.

1. lorsqu'il est arrivé. 2. à chaque fois qu'il sort. 3. quand il se lève. 4. pendant qu'elle était en vacances. 5. aussi longtemps que tu voudras. 6. toutes les fois qu'elle ouvre les fenêtres.

Date	Durée	Répétition
....	....	....
....	....	....

7. Méli-mélo Replace ces conjonctions mélangées dans la bonne phrase.

pendant que • autant que • avant que • après que • en même temps que • dès que

1. Il est parti .... je sois sorti du bureau.
2. Je travaille .... toi, tu dors.
3. .... elle fit son entrée, toute la salle se leva.
4. Tu peux rester .... tu voudras.
5. Elle fait ses devoirs .... elle écoute de la musique.
6. .... elle eut assisté au spectacle, elle rentra chez elle.

8. Pyramide À l'aide des définitions, remplis cette pyramide de verbes à l'infinitif, puis conjugue-les au temps et au mode voulus pour compléter les phrases. Tu préciseras le mode.

1. Action utile pour comprendre un livre
2. Contraire d'aller
3. Faire un bond
4. Entendre

a. Promenons-nous en attendant qu'elles ....

....

b. Tu me prêteras ton journal dès que tu ....

....

c. Pendant qu'elle .... les informations,
nous sommes allés prendre un café. ....

d. J'ai attendu jusqu'à ce qu'il .... dans le grand bain. ....

Les subordonnées de cause, conséquence et but

9. Range-phrases **Classe ses propositions par leur numéro dans la bonne colonne.**

1. parce qu'il fait beau. 2. pour qu'elle soit contente. 3. au point qu'il est tombé. 4. puisque tu le dis. 5. étant donné qu'elle était la meilleure. 6. de peur que je ne l'entende pas. 7. si bien qu'il ne lui reste rien.

Cause	Conséquence	But
....	....	....
....	....	....

10. Lettres mêlées **Remets ces lettres en ordre pour retrouver six conjonctions que tu devras relier à la bonne fonction.**

	Cause	Conséquence	But
Emocm:	☐	☐	☐
Ed etcianr euq:	☐	☐	☐
Eiuqspu:	☐	☐	☐
Ed tesor ueq:	☐	☐	☐
Tnlemtele ueq:	☐	☐	☐
Niaf ueq:	☐	☐	☐

11. Labo des mots **Dans la liste 1, tu as des causes, dans la liste 2 des conséquences : retrouve celles qui vont ensemble et construis deux phrases répondant aux consignes.**

Liste 1 : se coucher tard, une violente tempête

Liste 2 : être énervé, arbres déracinés

Phrase 3 (cause) : ....

....

Phrase 4 (conséquence) : ....

....

Les subordonnées de condition, concession et comparaison

12. Quiz **Coche les phrases vraies.**

1. Les subordonnées de condition commencent souvent par *si*. ☐
2. *Si* est toujours suivi de l'imparfait. ☐
3. Les subordonnées de concession sont toujours au subjonctif. ☐
4. Les subordonnées de comparaison sont souvent introduites par *comme*. ☐

13. Range-phrases **Classe ces subordonnées par leur numéro dans la bonne colonne.**

1. si tu veux bien. 2. quoiqu'il soit encore loin. 3. à supposer que nous le voyions. 4. ainsi que tu l'as toujours fait. 5. comme un ouragan le ferait. 6. de même que nous l'avons dit. 7. même s'il faut tout changer.

Condition	Concession	Comparaison
....	....	....
....	....	....

14. Méli-mélo **Replace les conjonctions dans chaque phrase puis indique la fonction de la subordonnée.**

si • en admettant que • même si • comme

1. Il nage .... un poisson. ....
2. .... elle soit partie à 14 h 00, elle devrait déjà être là. ....
3. .... tu l'avais vue, tu aurais été émerveillée. ....
4. Elle regrette son attitude, ... elle ne veut pas l'avouer. ....

Bilan

32 Je sais reconnaître les fonctions dans la phrase

J'observe

Mes parents aiment *les voyages*. Aiment-ils *les voyages*? **En novembre**, ils voyagent **toujours**.

Quelle est la fonction des groupes soulignés ? ....

Des groupes en italique ? ....

Des groupes en gras ? ....

Je retiens

A COMMENT RECONNAÎTRE LE SUJET ?

• Il indique **de quoi** ou **de qui on parle** dans la phrase. Pour le trouver, on pose la question *qui* ou *qu'est-ce qui* + verbe ? ***L'avion** a décollé.*

• Il est souvent placé **avant** le verbe mais peut être **inversé** (question, dialogue...). *dit-il*

• À la forme impersonnelle, *il* est **sujet grammatical** et il y a souvent un **sujet logique**. *Il existe **deux solutions**.*

B COMMENT RECONNAÎTRE L'ATTRIBUT DU SUJET ?

• L'attribut du sujet **donne des renseignements** sur le sujet : qualité, défaut, métier, nom...

• Il se rencontre après des **verbes attributifs**, les **verbes d'état** (*être, paraître, sembler, avoir l'air, passer pour...*) ou **autres** (*rester, demeurer, s'appeler, tomber, vivre...*). *Ils vécurent heureux*

C COMMENT RECONNAÎTRE LES COMPLÉMENTS DE VERBE ?

• Un complément de verbe **précise l'action** exprimée par le verbe.

• Ces compléments peuvent être à **construction directe** (COD) ou **indirecte** (COI ou COS, lorsqu'il y a deux compléments de verbe pour le même verbe). *Ils ont dit **la vérité à leur sœur**.*

• Quand le verbe est à la voix passive, il est souvent complété par un **complément d'agent** (introduit par *de* ou *par*). *Elle est entourée **par ses admirateurs**.*

D COMMENT RECONNAÎTRE LES COMPLÉMENTS DE PHRASE ?

• Ils précisent dans quelles **circonstances** se déroule l'action.

• Ils peuvent avoir différentes fonctions (CC de temps, de lieu, de cause, de but, de conséquence, d'hypothèse, de comparaison...). ***Ce matin**, les avions ont décollé **de l'aéroport Charles-de-Gaulle**.*

Je m'entraîne

1 Souligne en bleu les sujets, en rouge les compléments de verbe et surligne les attributs du sujet.

1. Baptiste parcourt le monde. • Lou est la sœur de Paul.

2. Nous avons un train à prendre. • Vous demeurerez inflexibles.

3. Partout dans le monde, les oiseaux pondent des œufs et les couvent. • Le chanteur a été très applaudi par son public.

2 Souligne les compléments de verbe et indique leur classe grammaticale.

1. Aujourd'hui, nous prenons l'avion sans complexe. ....

2. Marion et son frère pensaient que la tempête ne finirait jamais. ....

3. Il se demande pourquoi tu n'as jamais quitté le pays. ....

3 Souligne les compléments à construction directe (COD) et surligne ceux à construction indirecte (COI, COS), puis indique leur classe grammaticale.

1. Il achète des plantes à un jardinier. ....

2. Il a apporté son matériel à l'école. ....

3. Il suppose que tu as de quoi payer ton billet. ....

4 Dans les phrases suivantes, souligne les compléments de phrase et indique leur fonction.

1. Lorsqu'il a fini ses devoirs, il regarde la télévision. ....

2. Elle lui avoue son amour de peur qu'il ne déménage. ....

3. S'il part, il doit savoir que, moi aussi, je m'en irai. ....

5 Dans le texte suivant, souligne en bleu les compléments de verbe, en rouge les attributs du sujet et surligne les compléments de phrase.

1. Le jeu était pour lui un combat.

2. Je ne sais pas vraiment comment, avec le signalement que vous avez reçu, vous pourrez reconnaître cet homme.

3. Depuis de longues annnées, Phileas Fogg n'avait pas voyagé. Il est prouvé que personne ne l'avait vu d'ailleurs.

6 J'APPLIQUE pour lire

Deux heures après, les flamboiements d'un sinistre immense, jaillissant d'un grand magasin de pétrole, d'huiles et d'allumettes **se répercutaient** sur toutes les vitres du faubourg du Temple. Bientôt de toutes parts **accoururent** des pompiers qui réveillaient en sursaut les citadins de ce quartier populaire. Très vite la grande place du Château d'eau fut encombrée par la foule.

D'après Villiers de l'Isle-Adam, *Le désir d'être un homme* (1883).

a) **Souligne les sujets des deux verbes en gras.**

b) **Relève deux CCT, deux CCL, deux CCma.**

....

....

....

....

....

c) **Relève un COD et un complément d'agent.**

....

....

7 J'APPLIQUE pour écrire

Tu as sans doute été un jour le témoin d'un incendie, d'un accident, d'un incident... Raconte la scène et comment les secours se sont organisés.

Consigne
- 15 lignes
- 1 sujet inversé
- 1 complément d'agent
- 4 CC différents

MÉTHODE 3 Comment distinguer les différentes subordonnées ?

Un même subordonnant peut introduire des propositions de classes grammaticales et de fonctions différentes… Apprends à bien les distinguer !

Je sais distinguer les relatives des conjonctives en *que / qu'*

- La **classe grammaticale** du mot complété est :

– un nom, un GN, un pronom = relative. *Le **chien** que tu observes est tout agité.*

– un verbe = conjonctive. *J'**aime*** qu'il soit attentif aux autres.

- Elle peut être **supprimée** sans changer le sens de la phrase = relative. *Il habite une maison [qu'il a acheté l'an dernier].*
- Elle ne peut pas être supprimée = conjonctive. *Je pense **qu'il a raison**.*

⚠ *Que* et *qu'* n'introduisent pas toujours des subordonnées !

Je vérifie que j'ai bien compris

1 **Souligne les relatives, surligne les conjonctives, barre les phrases qui ne sont pas des subordonnées.**

1. Elle m'a offert un livre que je ne connaissais pas.
2. Que fais-tu pour les vacances de Noël ?
3. A-t-il compris que tu seras à l'heure ?
4. Un chat que je n'ai jamais vu rôde dans le jardin.
5. Je vois que ce chat inconnu rôde dans le jardin.
6. Que ces fleurs sont belles ! .

Je sais distinguer les relatives des interrogatives indirectes introduites par *qui* et *où*

- La **classe grammaticale** du mot complété est :

– un nom, un GN, un pronom, un adverbe = relative. *Le **chien** qui aboie est à moi.*

– un verbe signifiant *demander, dire, savoir* ou *ignorer* = interrogative indirecte. *Je **me demande** qui habite dans cette maison.*

- La subordonnée peut être **supprimée** sans changer le sens de la phrase = relative. *J'habite une maison [**où il fait bon vivre**].*
- Elle ne peut pas être supprimée = interrogative indirecte. *Je me demande **où il habite**.*

⚠ *Qui* et *où* n'introduisent pas toujours des subordonnées !

Je vérifie que j'ai bien compris

2 **Relie les subordonnées en gras à la bonne classe grammaticale.**

	Relative	Conjonctive
1. Je lui ai **dit qu'il devait se presser**.	☐	☐
2. L'enfant **que j'ai vu** te ressemblait.	☐	☐
3. J'ai appris **que tu déménageais**.	☐	☐
4. J'attends **qu'il arrive**.	☐	☐
5. Les amis **que nous attendions** sont là.	☐	☐
6. Les activités **que je préfère** se passent en plein air.	☐	☐

Je sais distinguer les conjonctives des interrogatives indirectes introduites par *quand* et *si*

- Si la subordonnée indique une circonstance de l'action : **temps** ou **condition** = conjonctive.
Tu vas finir par progresser ***si tu travailles.*** (condition)
- Si elle complète un verbe signifiant *demander, dire, savoir* ou *ignorer* = interrogative indirecte.
Le professeur se demande ***si les élèves ont fini.***
- La subordonnée peut être **supprimée** sans changer le sens de la phrase = **conjonctive**.
(***Quand il fait beau***), *je vais me promener.*
- Elle ne peut pas être supprimée = interrogative indirecte. *Je me demande* ***quand il fera beau.***

Je vérifie que j'ai bien compris

3 Souligne les conjonctives et surligne les interrogatives indirectes.

1. Quand on aime le chocolat, on peut en manger des tablettes entières. • Mais souvent, on tombe malade quand on en a trop mangé. • J'ignore quand je saurai être raisonnable !
2. Si tu viens, Marie sera très heureuse ! • Mais si tu ne viens pas, elle risque d'être triste… • Elle ne sait pas encore si elle te le pardonnera.
3. Quand on veut cuisiner, il faut savoir si on a assez de temps devant soi. • Si ce n'est pas le cas, il faut reporter et se demander quand on aura l'occasion de s'y mettre.

Je sais distinguer les relatives et les interrogatives indirectes introduites par *ce que*

- Si le verbe qui précède signifie *demander* ou *ignorer* = interrogative indirecte.
- Sinon = relative.
- La relative peut être en début de phrase, pas l'interrogative indirecte. ***Ce que tu dis*** *est intéressant.*

Je vérifie que j'ai bien compris

4 Souligne les relatives et surligne les interrogatives indirectes.

1. Ce qui me plaît, c'est ton sourire. • Ce que tu dis est décisif. • Je ne sais pas ce que tu veux.
2. J'aime ce que tu portes aujourd'hui. • Il ignore ce qu'ils ont voulu dire.
3. Il n'a pas fait ce qu'il avait promis. • Demande-lui ce qu'il veut.

5 **BILAN** Lis le texte et réponds aux questions.

Le lendemain matin, elle s'aperçut en s'éveillant **qu'elle avait dormi**. […]
En même temps que le soleil, elle vit à cette lucarne un objet qui l'effraya, la malheureuse figure de Quasimodo. […] Alors, elle entendit une rude voix qui disait très doucement : « N'ayez pas peur. Je suis votre ami. J'étais venu vous voir dormir. Je ne peux pas vous déranger quand vous avez les yeux fermés. »

Victor Hugo, *Notre-Dame de Paris* (1831).

a) **Souligne les deux subordonnées en *qui*. Quelle est leur classe grammaticale ?** ……………………

b) **Surligne la subordonnée en *quand*. Quelle est sa fonction ?** ……………………

c) **Quelle est la classe grammaticale du groupe en gras ?** ……………………

À RETENIR

- ***Qui, où, ce que*** → **relative ou interrogative indirecte.**
- ***Que*** → **relative ou conjonctive.**
- ***Si* et *quand*** → **conjonctive ou interrogative indirecte.**

33 L'origine et la formation des mots

J'observe

Les poètes célèbrent souvent leur amour pour la nature ou pour leur **bien-aimée.**

Quel mot du texte vient du latin *amor* ? ....

Quelle est la particularité du mot en gras ? ....

Je retiens

A D'OÙ VIENNENT LES MOTS FRANÇAIS ?

• Les mots français viennent majoritairement des **langues de l'Antiquité**. Ils se sont souvent formés à partir de l'évolution d'un mot **latin** ou **grec**. *scélérat* → latin *scelus*, *musique* → grec *mousikê*

• Mais certains mots français, arrivés plus tardivement dans la langue, sont empruntés à des **langues étrangères**. *pizza* → italien, *paella* → espagnol, *short* → anglais, *café* → turc

B QU'EST-CE QUE LA DÉRIVATION ?

• Un **mot dérivé** est formé à partir d'**un mot déjà existant ou de son radical**, auquel a été ajouté, à l'avant, un **préfixe** et/ou à l'arrière, un **suffixe**. *im-pratic-**able***

• Le **préfixe** fait évoluer le sens du radical ; son orthographe peut varier en fonction du mot auquel il se rattache. Préfixe ***in-*** → ***im**perméable*, ***il**logique*, ***ir**réaliste*

• Le **suffixe** indique le plus souvent la **classe grammaticale** du mot mais il peut aussi **faire évoluer** son sens. *gaie-**té*** → suffixe de nom mais *pièc-**ette*** → suffixe diminutif

• Tous les mots formés à partir d'un même radical constituent une **famille de mots**.

C QU'EST CE QUE LA COMPOSITION ?

• Un **mot composé** est formé par l'**association** de deux racines latines ou grecques et/ou de mots français.

misogyne → *misein*, détester + *gunê*, la femme ; *passe-temps*

• Les mots composés de deux mots français s'écrivent le plus souvent avec un **trait d'union**. Ils peuvent combiner des noms, des adjectifs, des verbes et des mots invariables.

• Au pluriel, seuls les **noms** et les **adjectifs** s'accordent. *des plate**s**-bande**s*** (adjectif + nom), *des ouvre-boîte**s*** (verbe + nom)

Je m'entraîne

1 Relie chaque mot français à son origine.

1. vague •	• *pallone* (italien)
2. épisode •	• *jalikah* (arabe)
3. chocolat •	• *epeisodion* (grec)
4. cosmonaute •	• *kosmonavt* (russe)
5. ballon •	• *xocolatl* (nahualt)
6. gilet •	• *vagus* (latin)

2 Utilise les préfixes suivants pour former de nouveaux mots. Attention ! Leur orthographe peut varier.

in- • ad- • con- • sou- / sub-

1. **DEUX MOTS** prendre : ....

2. **TROIS MOTS** céder : ....

3. **QUATRE MOTS** poser : ....

3 Complète avec des suffixes pour former des mots de la classe grammaticale demandée.

1. véri.......... (verbe) • véri.......... (nom) • vérit.......... (adjectif)

2. constru.......... (verbe) • construct..........(adjectif) • construc.......... (nom)

3. human.......... (verbe) • human.......... (nom) • humani.......... (adjectif)

4 Forme trois mots dérivés à partir de chaque mot simple, en ajoutant un suffixe et/ou un préfixe.

1. terre : ....

2. clair : ....

3. blanc : ....

4. égal : ....

5. fleur : ....

6. salut : ....

Le radical d'un mot peut **varier**.

5 Rassemble deux à deux les termes suivants pour former des mots composés qui te permettront de compléter les phrases. N'oublie pas, si besoin, de les accorder.

Dans les mots composés, les noms peuvent rester au singulier si le sens l'impose : *grille-pain*.

mère • Paris • mémoire • sèche • grand • aide • porte • Brest • cheveu • feuille

1. Paul a aidé sa .... : il lui a tenu son .... pendant qu'elle faisait son brushing.

2. Je n'ai pas appris ma leçon… Heureusement, il y a, à la fin du livre, des .... pour m'aider.

3. Nos .... sont vides ! Comment nous acheter des .... pour le goûter ?

6 J'APPLIQUE pour lire

Au printemps l'*Oiseau* naît et chante :
N'avez-vous pas ouï [entendu] sa voix ?…
Elle est **pure**, **simple** et touchante,
La voix de l'Oiseau – dans les *bois* !

Gérard de Nerval, *Odelettes*, « Dans les bois » (extrait, 1853).

a) **Souligne dans le texte les mots du poème qui viennent des mots latins suivants : *vox*, *nascor*, *cantare*.**

b) **À l'aide de suffixes, forme deux dérivés pour chaque mot en gras (un verbe et un adverbe).** ....

....

7 J'APPLIQUE pour écrire

À ton tour, rédige un paragraphe pour évoquer ce que tu aimes dans la nature. Tu peux reprendre le thème de l'oiseau.

Consigne
- 2 mots dérivés
- 1 mot composé

Chacun son rythme

Coche la couleur que tu as le mieux réussie.

- Relève de nouveaux défis ! → **exercices 1, 2 p. 96**
- Améliore tes performances ! → **exercices 3 à 5 p. 96**
- Prouve que tu es un champion ! → **exercices 6 p. 96 et 7, 8 p. 97**

34 Les radicaux grecs et latins

J'observe

Baudelaire exprime souvent sa mélancolie ou sa douleur.

Souligne le mot qui vient du latin *dolor*.

Surligne le mot composé des termes grecs *melas*, noir et *kolos*, la bile.

Je retiens

COMMENT LES MOTS SE SONT-ILS FORMÉS À PARTIR DU LATIN ET DU GREC ?

- **Mots simples** par **évolution** d'un mot latin (*manus* → *main*) ou d'un mot grec (*theatron* → *théâtre*).
- **Mots composés** par **composition** à partir de radicaux latins, grecs ou français associés.

équilatéral → *equi* (latin), égal + *lateris* (latin), côté = qui a des côtés égaux

automobile → *autos* (grec), de soi-même + *mobilis* (latin), qui se déplace = qui se déplace de soi-même

autoportrait → *autos* (grec), de soi-même + portrait (français) = portrait de soi-même

QUELLES SONT LES TRACES DE L'HÉRITAGE LATIN ?

- Dans l'orthographe :

– Les **lettres muettes** à la fin de certains mots.

froid → *frigidus, long* → *longus, nid* → *nidus*

– Les **accents circonflexes** qui rappellent la présence d'un **-s** dans la forme latine.

hôpital → *hospitalis, tempête* → *tempestas*

- Dans la compréhension du sens : les **radicaux latins** *aqua-* = l'eau ; *bi-* = deux ; équi- = égal ; *poli-* = en lien avec l'état ; *rect-* = droit ; *tri-* = trois ; *uni-* = un seul ; *-vore* = qui mange, etc.

QUELLES SONT LES TRACES DE L'HÉRITAGE GREC ?

- Dans l'orthographe :

– Les **graphies *-y-* et *-ps-*, *-th-*, *-ph-* et *-ch-*** (se prononçant [k]) qui correspondaient à une seule lettre dans la forme grecque. *phrase* → ***ph**razô*, ***thy**m* → *thymon, technique* → *te**ch**nè*

– La plupart des ***h* en début de mot** ou après un *r*. *hélice* → *élix, horizon* → *orizein*

- Dans la compréhension du sens : les **radicaux grecs** *eu-* = bien ; *graph-* = qui écrit, qui décrit ; *hétéro-* = autre ; *homo-* = semblable ; *iso-* = *égal* ; *log-* = la science ; *ortho-* = droit, correct ; *poly-* = plusieurs, etc.

Je m'entraîne

1 Souligne les mots formés par composition et sépare leurs radicaux.

1. hippocampe • police • camper • hippodrome ....

2. omnivore • onctueux • piscivore • vertu • tortue • omnipotent ....

3. cristal • corde • piscicole • amour • syndrome • culte ....

2 **Trouve un mot français dont l'orthographe s'explique par les lettres en gras du mot latin ou grec dont il provient.**

La lettre y s'écrit u en grec.

1. *len**tu**s*: .... • ***fo**rtis*: .... • ***nau**ta*: ....
2. ***ph**onè*: .... • *l**u**rdus*: .... • ***th**eorêma*: ....
3. *d**u**namis*: .... • ***ch**rôma*: .... • *succin**ct**us*: ....

3 **À l'aide de la leçon et des annexes, complète les phrases avec les mots adaptés.**

périscope • antalgique • omnivore • démographie • polyphonie • chronologie

1. Pour comprendre l'origine du conflit, nous avons étudié la .... de cette époque.
2. La population de la terre augmente sans cesse, notre .... est galopante.
3. L'homme peut se nourrir aussi bien de viande que de végétaux, il est ....
4. Lors du concert, ils ont chanté quelques morceaux de Bach: quelle belle .... !
5. Dans votre sous-marin, pour voir ce qui se passe à la surface, vous utilisez un ....
6. J'ai terriblement mal au dos, le médecin m'a prescrit un ....

4 **En t'aidant de la leçon et des annexes, souligne la bonne orthographe.**

1. Qui est marié plusieurs fois: poligame / polygame.
2. Qui s'occupe du fonctionnement de l'état: politicien / polyticien.
3. Cheval du fleuve: hippopotame / hypopotame.
4. Glande qui se trouve sous le cerveau: hippophyse / hypophyse.
5. Répartition entre différentes personnes: distribution / dystribution
6. Mauvaise marche d'une machine: disfonction / dysfonction.

5 J'APPLIQUE pour lire

Sois sage, ô ma Douleur et tiens-toi plus tranquille.
Tu réclamais le Soir; il descend; le voici.
Une atmosphère obscure enveloppe la ville
Aux uns portant la paix, aux autres le souci.

Charles Baudelaire, *Les Fleurs du mal*, «Recueillement» (extrait, 1857).

a) **Encadre un mot d'origine grecque.**

b) **Souligne les mots du texte tirés des mots latins suivant: *tranquillus, clamare; serus, descendere, obscurus, villa*.**

c) **Quel mot du texte vient du latin *pax* et quelle particularité orthographique est-elle ainsi expliquée?** ....

6 J'APPLIQUE pour écrire

Et toi, es-tu sensible à la tombée de la nuit? Dans un paragraphe, explique ce que tu ressens à ce moment-là.

Consigne
- 4 lignes ou vers
- 4 mots d'origine grecque ou latine

Coche la couleur que tu as le mieux réussie.

☐ Relève de nouveaux défis! → exercices 9, 10 p. 97
☐ Améliore tes performances! → exercices 11, 12 p. 97
☐ Prouve que tu es un champion! → exercices 13, 14 p. 97

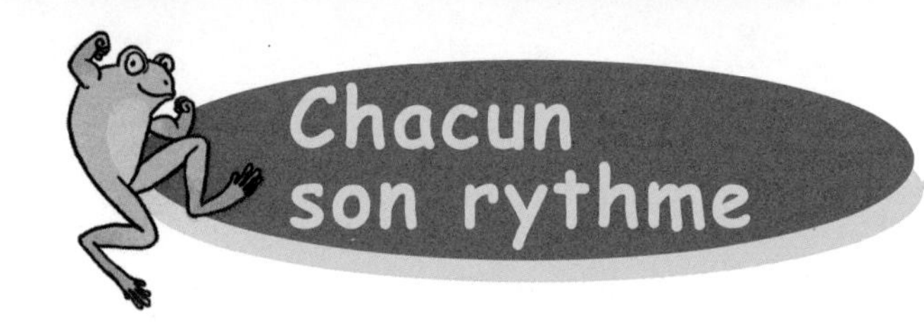

L'origine et la formation des mots

1. Quiz **Coche les phrases vraies.**

1. Tous les mots français viennent du latin ou du grec. ☐
2. L'étymologie est l'étude de l'origine des mots. ☐
3. Un mot formé par dérivation se compose d'un radical, d'un préfixe et/ou d'un suffixe. ☐
4. Un mot composé est toujours invariable. ☐

2. Labo des mots **Trouve les mots français tirés de ces mots latins, grecs et étrangers puis complète les phrases.**

kichap (malais) : ....

allhallow even (écossais) : ....

disputatio (latin) : ....

therapeutês (grec) : ....

concerto (italien) : ....

guitarra (espagnol) : ....

1. Demain, 31 octobre, nous organisons une soirée costumée pour ....
2. As-tu assisté au .... donné par l'orchestre philharmonique de Londres ?
3. Depuis deux ans, je prends des cours de .... au conservatoire.
4. Paul n'aime pas le ...., il mange ses frites avec de la mayonnaise.
5. La voiture verte a heurté l'aile de la voiture rouge ; une violente .... éclate entre les conducteurs.
6. Depuis son accident, elle est suivie par un ....

3. Range-mots **Classe ces mots dans la bonne colonne.**

impatience • éclair • pollution • élémentaire • excommunication • indicible • plaisanterie • obscurcir • préposé • surpopulation • découdre • remettre • souterrain • ramifier

Mots avec préfixe	Mots avec suffixe	Mots avec préfixe et suffixe
....	....	....
....	....	....
....	....	....
....	....	....
....	....	....
....	....	....

4. Méli-mélo **Relie chaque mot de la colonne de droite à un mot de la colonne de gauche pour former six mots composés.**

café •	• tour
chou •	• papiers
couvre •	• crème
demi •	• mère
grand •	• fleur
presse •	• lit

5. Jeu de pendu **Retrouve les mots dérivés qui complètent ces phrases (une lettre par tiret).**

1. Notre bateau ne coulera jamais ! On l'a appelé « l'I _ _ _ _ _ _ _ _ _ _ e ».
2. Je croyais mon robot cassé, mais après r _ _ _ _ _ _ _ _ _ n, il est comme neuf.
3. L'a _ _ _ _ _ _ _ _ _ _ _ _ t du mâle et de la femelle a souvent lieu au printemps.

6. Pyramide **Retrouve les mots composés correspondant aux définitions puis place-les dans la phrase qu'ils complètent.**

1. Jouet qui monte et qui descend
2. Véritable imbroglio
3. À l'avant des voitures
4. Four à cuisson très rapide
5. Pour se promener sur la Seine

				1	☐	☐	☐	☐	☐				
			2	☐	☐	☐	☐	☐	☐	☐			
		3	☐	☐	☐	☐	☐	☐	☐	☐			
	4	☐	☐	☐	☐	☐	☐	☐	☐	☐	☐		
5	☐	☐	☐	☐	☐	☐	☐	☐	☐	☐	☐	☐	☐

1. Il a heurté un arbre à l'entrée de la propriété, son .... est enfoncé.
2. Comme nos amis australiens nous ont rendu visite, nous leur avons offert une promenade en ....
3. Paul s'est disputé avec Anna, Anna ne veut plus lui parler, mais elle doit organiser le réveillon avec nous… Quel .... !
4. Pour Noël, on m'a offert un beau .... rouge.
5. Pour déjeuner, j'ai fait réchauffer un reste de pâtes au ....

7. Méli-mélo **Radicaux, préfixes et suffixes se sont tellement mélangés qu'ils ont formé des mots qui n'existent pas ! Après avoir isolé les différents éléments, reconstitue les mots initiaux.**

Ex bordi ble — A positeur

Re contrôl ment — Trans peuple tion

In miss able — Ad format age

1. ....
2. ....
3. ....
4. ....
5. ....
6. ....

8. Charade

Mon premier est un suffixe diminutif. **Mon deuxième** est une voyelle. **Mon troisième** permet de former des phrases. **Mon quatrième** se gagne à la tombola. **Mon cinquième** vient juste après mon second. **Mon tout** est utile pour bien orthographier un mot.

Réponse : ....

Les radicaux grecs et latins

9. Labo des mots **Souligne les mots d'origine latine et surligne ceux d'origine grecque.**

harmonie • fête • aspect • rhapsodie • tête • grand • hétérodoxe • théologie • plâtre • thermomètre • plomb • prophète

10. Vrai ou faux **Coche les phrases vraies.**

1. Un mot formé par composition peut associer un radical latin et un radical grec. ☐
2. Connaître l'origine d'un mot permet de comprendre son sens. ☐
3. *-phage* est un radical latin qui signifie *manger*. ☐
4. *hétéro-* est un radical grec qui signifie *autre*. ☐

11. Jeu du pendu **Trouve trois mots d'origine grecque pour compléter ces phrases (une lettre par tiret).**

1. En cours de musique, nous apprenons à jouer du x _ _ _ _ _ _ _ _ e.
2. Arnaud a raté son train, mais il ne s'énerve pas : il prend la vie avec p _ _ _ _ _ _ _ _ _ _ ie.
3. Il est tombé de vélo, il a le côté droit couvert d'e _ _ _ _ _ _ _ _ e s.

12. Mots mêlés **Retrouve dans la grille six mots simples d'origine latine.**

P	F	R	U	I	T
C	L	A	S	S	E
I	E	A	G	V	X
L	U	T	C	D	T
A	R	B	R	E	E

1. ..... : ....
2. ..... : ....
3. ..... : ....
4. ..... : ....
5. ..... : ....
6. ..... : ....

13. Méli-mélo **En t'aidant des radicaux donnés en annexes, relie chaque mot à sa signification.**

hypocalorique •	• qui peut prendre plusieurs formes
monochrome •	• croûte pierreuse du globe terrestre
univoque •	• qui a la même sonorité
lithosphère •	• qui apporte peu de calories
polymorphe •	• qui ne peut avoir qu'une signification
homophone •	• qui n'a qu'une seule couleur

14. Charade

Mon premier fait voler les oiseaux. **Mon deuxième** est le contraire de *beau*. **Mon troisième** est une ville de la côte méditerranéenne. **Mon quatrième** est le pronom complément de la 2e personne du singulier. **Mon tout** qualifie quelqu'un qui étudie le grec ancien.

Réponse : ....

35 Synonymie, antonymie et paronymie

J'observe

1. Baudelaire aime énormément les chats. 2. Baudelaire adore les chats. 3. Baudelaire déteste les chats. 4. Baudelaire abhorre [avoir en horreur] les chats.

Choisis ou complète :

Les phrases 1 et 2 sont synonymes / antonymes, les phrases 2 et 3 sont synonymes / antonymes.

Le verbe de la phrase 4 .... **au verbe de la phrase 2.**

Je retiens

A QU'EST-CE QUE LA SYNONYMIE ?

- Les synonymes sont des mots qui ont le **même sens** ou un **sens très proche**.
- Ils ont toujours la **même classe grammaticale**.
- On les utilise pour **définir** un mot (par exemple dans un dictionnaire) ou éviter une **répétition**.

courageux (adjectif) = *vaillant* (adjectif), *aliments* (nom) = *mets* (nom)

B QU'EST-CE QUE L'ANTONYMIE ?

- Les antonymes sont des mots de **sens contraires**.
- Ils ont toujours **la même classe grammaticale**.
- Ils peuvent se former à l'aide d'un **préfixe**.

solide ≠ fragile, enchanté ≠ désenchanté

Remarques :

– Les synonymes ou antonymes peuvent appartenir à différents **niveaux de langue**. *livre, bouquin* (synonymes) ; *beau, moche* (antonymes)

– Ils peuvent aussi avoir un **sens plus ou moins fort**. *hurler* indique une action plus intense que *crier*.

– Les synonymes et les antonymes d'un même mot peuvent **varier en fonction du contexte**.

L'appartement est ***grand***. synonyme : *vaste*, antonyme : ***petit***

C'est un grand jour. synonyme : *important*, antonyme : *ordinaire, banal*

C QU'EST-CE QUE LA PARONYMIE ?

- Les paronymes sont des mots de **sens différents** mais qui se prononcent et s'écrivent **presque de la même manière**.

Mangouste (petit mammifère carnivore) *et langouste* (crustacés) ; *adorer* et *abhorrer*

Remarque : paronymes ≠ homonymes (qui se prononcent de la même manière).

Je m'entraîne

1 Trouve un synonyme pour chaque mot.

1. peur : .... • horrible : ....

2. s'amuser : .... • vitesse : ....

3. immense : .... • semblable : ....

2 Trouve un antonyme pour chaque mot en gras.

1. un enfant **calme** : .... • une **faible** amélioration : ....
2. une eau **transparente** : .... • un **singulier** personnage : ....
3. une vie **sédentaire** : .... • une situation **temporaire** : ....

3 Trouve pour les mots en gras un synonyme et un antonyme adaptés à chaque phrase.

1. Mon chien est **attaché**. ....
2. Je suis **attachée** à ce bijou. ....
3. Ma chambre est **petite**. ....
4. J'ai une **petite** préférence pour ce modèle. ....
5. J'aime les couleurs **vives**. ....
6. Il m'a fait de **vifs** reproches. ....

4 Remplace les pointillés par un des paronymes proposés, puis fais une phrase avec l'autre paronyme.

induire / enduire • mobile / motif • hiberner / hiverner

1. Hercule Poirot a découvert le .... du crime.

....

2. Je ne voudrais pas vous .... en erreur.

....

3. Les troupeaux .... à l'étable.

....

5 J'APPLIQUE pour lire

Dans ma cervelle *se promène*,
Ainsi qu'en son *appartement*,
Un **beau** chat, **fort**, **doux**, et charmant.
Quand il miaule, on l'entend à peine [...].

C'est l'esprit familier du *lieu* ;
Il juge, il préside, il inspire
Toutes choses en son empire.

Charles Baudelaire, *Les Fleurs du mal*, « Le chat » (extrait, 1857).

a) **Remplace les mots en italique par un synonyme.** ....

....

b) **Remplace les mots en gras par des antonymes adaptés au texte.** ....

....

c) **Trouve un paronyme du verbe *inspirer*.**

....

6 J'APPLIQUE pour écrire

Quel est ton animal préféré ? Décris-le et explique pourquoi tu l'aimes.

Consigne
- 10 lignes
- 2 synonymes
- 2 antonymes

Coche la couleur que tu as le mieux réussie.

- ☐ Relève de nouveaux défis ! → exercices 1, 2 p. 104
- ☐ Améliore tes performances ! → exercices 3, 4 p. 104
- ☐ Prouve que tu es un champion ! → exercices 5, 6 p. 104

36 Champ lexical et champ sémantique

J'observe

Les hommes de cette région vénéraient la Nature et étaient d'une grande dévotion à l'égard de leur divinité.

Souligne les mots se rattachant au thème de l'adoration.

Trouve d'autres mots appartenant à ce thème. ……………………………………………

Je retiens

 QU'EST-CE QU'UN CHAMP LEXICAL?

- Un champ lexical est un ensemble de mots ou de groupes de mots qui **se rattachent à un même thème**.
- Ces mots peuvent appartenir à des **classes grammaticales différentes**.

  forêts, vallons, vert, la nature s'éveille...
- L'étude des champ lexicaux d'un texte met en évidence ses **thèmes principaux**.

B QU'EST-CE QU'UN CHAMP SEMANTIQUE?

- Un même mot peut avoir différents sens: on dit alors qu'il est **polysémique** et on appelle champ sémantique l'**ensemble des sens** qu'il peut prendre.
- Le verbe *embrasser* a quatre sens principaux qui forment son champ sémantique:

  – Donner des baisers à quelqu'un.

  – Prendre, tenir entre ses bras quelqu'un ou quelque chose.

  – Saisir par la vue quelque chose dans son ensemble.

  – Englober, contenir quelque chose dans sa totalité.
- Un des sens est parfois **figuré**.

  *Il faut escalader la **montagne**. J'ai une **montagne** de travail.*

Je m'entraîne

1 Indique le champ lexical auquel se rattachent ces mots.

1. flamme, foyer, brûler, chaleur, cheminée, incendie: ……………………………

2. froid, neige, décembre, ski, geler, patinoire: ……………………………

3. vague, bateau, plage, nager, voile, croisière: ……………………………

2 Pour chaque mot, propose quatre autres mots appartenant au même champ lexical.

1. justice: ……………………………………………

2. médecine: ……………………………………………

3. commerce: ……………………………………………

3 Utilise chaque mot dans deux phrases avec un sens différent.

1. tableau : ....

....

2. coup : ....

3. bras : ....

4 Trouve le mot qui correspond aux définitions.

1. Bijou qui se porte au cou. Pièce du vélo qui transmet le mouvement. Ensemble de magasins qui portent le même nom. ....

2. Façon de travailler dans certaines usines. Organisme de radio ou de télévision. Ensemble de montagnes. ....

3. Objet en métal utilisé pour empêcher un vol. Objet utilisé pour limiter les déplacements d'un animal. ....

5 Donne le sens de chaque mot en gras.

1. **Mets** un pull, il fait froid. / **Mets**-toi au travail : ....

2. **Passe** nous voir. / **Passe** sur les détails. ....

3. On **étouffe** ici, ouvre la fenêtre. / Le scandale **a été étouffé**. ....

6 J'APPLIQUE pour lire

Que me font ces *vallons*, ces **palais**, ces **chaumières**,
Vains objets dont pour moi le charme est envolé ?
Fleuves, *rochers*, *forêts*, solitudes si chères,
Un seul être vous manque et tout est dépeuplé.

Alphonse de Lamartine, Méditations poétiques
« Le lac » (extrait, 1820).

a) Nomme les deux champs lexicaux auxquels se rattachent les mots en italique et en gras. ....

b) Souligne quatre mots appartenant au champ lexical de la solitude.

c) Indique le sens du mot *chères* puis utilise-le dans une phrase où il aura un autre sens. ....

....

....

7 J'APPLIQUE pour écrire

Le poète souffre de la solitude, explique à ton tour si tu apprécies ou non d'être seul(e).

Consigne
- 5 lignes
- 4 mots appartenant au champ lexical de la solitude et de la joie ou de la tristesse

Coche la couleur que tu as le mieux réussie.

- Relève de nouveaux défis ! → exercices 7, 8 p. 104-105
- Améliore tes performances ! → exercices 9, 10 p. 105
- Prouve que tu es un champion ! → exercice 11 p. 105

Chacun son rythme

37 Mots génériques et mots spécifiques

J'observe

Ce bouquet est magnifique ! Il est composé de **tulipes,** de **marguerites** et de quelques **œillets.**

Quel mot désigne (ou englobe) les trois mots en gras ? ....

Je retiens

QU'EST-CE QU'UN MOT GÉNÉRIQUE ?

- Un **mot générique** a un sens **général**, il désigne un **ensemble d'objet** ou de **notions**.
- Il **recouvre** un **ensemble de mots** au sens plus **précis** et plus **limité**.

  Chaussure englobe *botte, bottine, escarpin, chausson, tennis*

  Instrument (de musique) englobe *flûte, guitare, accordéon, basson, piano*

QU'EST-CE QU'UN MOT SPÉCIFIQUE ?

- Un **mot spécifique** désigne un **objet** ou un être **en particulier** : il a un **sens restreint**.

  banane, poire, mangue, amour-en-cage sont des *fruits*

À QUOI SERT CETTE DISTINCTION ?

- Les **mots spécifiques** permettent d'être plus précis.
- Les **mots génériques** permettent d'éviter les répétitions.

  Ce ***mathématicien*** *a une mémoire impressionnante. Le* ***scientifique*** *ne se trompe jamais sur une date. mathématicien* = mot spécifique, *scientifique* = mot générique
- Les **mots génériques** permettent également d'annoncer des **mots spécifiques**.

  *Le spectacle fait appel à une ribambelle d'****artistes*** *: peintres, chanteurs, décorateurs, comédiens sont tous sollicités !*

Je m'entraîne

1 Indique le mot générique qui englobe les listes suivantes.

1. pomme, poire, kiwi, mangue : ....

2. hirondelle, pigeon, canari, aigle : ....

3. subjonctif, indicatif, conditionnel, infinitif : ....

4. rat, souris, musaraigne, hamster : ....

5. romantisme, classicisme, naturalisme, surréalisme : ....

6. grenadier, fantassin, cavalier, artilleur : ....

2 Propose trois mots spécifiques pour chacun de ces mots génériques.

1. vêtement : ....
2. céréale : ....
3. reptile : ....
4. arbre : ....
5. maladie : ....
6. genre littéraire : ....

3 Pour chacun des mots suivants, propose un mot générique et trois mots spécifiques.

1. boisson → mot générique : .... → mots spécifiques : ....
2. fleur → mot générique : .... → mots spécifiques : ....
3. pièce de théâtre → mot générique : .... → mots spécifiques : ....

4 Utilise un mot générique afin de ne pas répéter le mot spécifique en gras.

Lorsque l'on peut **utiliser plusieurs mots génériques** pour un **même mot spécifique**, il vaut mieux **choisir le plus précis**.

1. **Apollon** est tombé amoureux d'une bergère. Le .... a tout fait pour la séduire.
2. Elle a cassé le talon de son **escarpin**. Heureusement, le cordonnier a pu réparer la ....
3. Je ne bois jamais de **limonade**. Cette .... fait prendre du poids !
4. ***Les Misérables*** a été adapté en comédie musicale. Cette dernière n'est pas très fidèle au ....
5. On raconte que cette **grenouille** a voulu devenir plus grosse qu'un bœuf. Mais le .... n'a pas réussi à tant gonfler.
6. Notre **break** sera idéal pour votre famille. Vous ne le savez pas encore, mais vous avez devant vous la .... de vos rêves !

5 J'APPLIQUE pour lire

Dame *souris* trotte,
Un nuage passe,
Noire dans le **gris** du soir,
Il fait **noir** comme en un four
Dame souris trotte
Un nuage passe.
Grise dans le **noir.** […]
Tiens le petit jour !

Paul Verlaine, *Parallèlement*, « Impression fausse » (1889).

a) **Trouve un nom générique qui englobe les mots spécifiques en gras.** ....

b) **Trouve deux mots génériques possibles pour le mot en italique. Puis trouve quatre autres mots spécifiques pour chacun.** ....

c) **Trouve dans le poème des mots spécifiques correspondant aux termes génériques suivants : moments de la journée ; phénomène atmosphérique.** ....

6 J'APPLIQUE pour écrire

À ton tour décris un animal en mouvement.

Consigne
- 1 mot générique avec 3 mots spécifiques
- 1 mot spécifique avec 1 mot générique

Coche la couleur que tu as le mieux réussie.

☐ Relève de nouveaux défis ! → exercice 12 p. 105
☐ Améliore tes performances ! → exercice 13 p. 105
☐ Prouve que tu es un champion ! → exercice 14 p. 105

Chacun son rythme

Synonymie, antonymie et paronymie

1. Quiz **Coche les phrases vraies.**

1. Les paronymes se prononcent de la même façon. ☐
2. Les paronymes ont la même orthographe. ☐
3. Les paronymes sont des mots qui se ressemblent. ☐
4. Les paronymes sont parfois synonymes. ☐

2. Méli-mélo **Trouve dans la liste un synonyme et un antonyme des mots en gras.**

agité • ralentir • tranquille • vieux • solitude • foule • accélérer • neuf

1. Il est toujours **calme**. ....
2. **Freine** : il y a un virage ! ....
3. C'est un meuble **ancien**. ....
4. J'aime l'**isolement**. ....

3. Chasse à l'intrus **Barre l'intrus de chaque liste et justifie ton choix.**

Liste 1 : normal • ordinaire • responsable • gentil • extraordinaire • irresponsable • anormal

....

....

Liste 2 : intelligible • accroître • ranger • manque • compréhensible • défaut • augmenter

....

....

Liste 3 : conjecture • perpétrer- • funèbre • famine • hiberner • conjoncture • funeste • perpétuer • hiverner

....

....

4. Vrai ou faux **Souligne le mot juste et barre le paronyme.**

1. Cette région est infectée /infestée de moustiques.
2. Son discours était très compréhensible/ compréhensif.
3. Ne mange pas ce champignon : il est venimeux / vénéneux.
4. On lui a décerné /discerné une récompense.

5. Lettres mêlées **Remets les lettres en ordre pour trouver le mot demandé.**

1. Notre maison se situe à l'orée (synonyme, èlesiri) de la forêt. ....
2. Cet événement était prévu (antonyme, éiopnin).

....

3. L'admission (antonyme, nioecuxls) au club est soumise à un examen. ....
4. La rougeole est une maladie infantile (paronyme, naieftnen). ....

6. Bouche-trous **Complète ces couples de phrases à l'aide des paronymes proposés.**

allocution / allocation • élucider / éluder (verbes à accorder au contexte) • à l'issue de / à l'insu de • imminent / éminent

1. .... de la réunion, nous nous réunirons autour d'un verre.
2. Il a agi .... de tous.
3. Nous avons enfin .... le mystère.
4. N' .... pas la question.
5. Le déclenchement des hostilités est ....
6. Un membre .... de l'Académie française a participé à la réunion.
7. L' .... du président a été applaudie.
8. Les personnes pauvres reçoivent une .... de la mairie.

Champ lexical et champ sémantique

7. Méli-mélo **Classe ces mots en deux listes en nommant le champ lexical.**

Bonnet, parasol, neige, ski, soleil, chaleur, tong, moufles, baignade, luge, anorak, maillot de bain.

Liste 1 : ....

Champ lexical de ....

Liste 2 : ....

....

Champ lexical : ....

8. *Chasse à l'intrus* **Barre l'intrus et justifie ton choix.**

Liste 1: football • ballon • arbitre • monopoly • rugby • but • handball

....

Liste 2: amas de bulles à la surface de l'eau • dessert à base de crème • caoutchouc spongieux • récipient dans lequel on cuit les gâteaux •nom d'un point de tricot

....

9. *Jeu du pendu* **Trouve le mot manquant puis ajoute quatre mots appartenant au même champ lexical.**

1. Ferme les stores, la l _ _ _ _ _ e est trop vive.
....
2. Regarde cet i _ _ _ _ _ _ e de quinze étages !
....
3. Le f _ _ _ _ _ _ _ e de cet arbre est magnifique !
....

10. *Mot mystère* **Pour chaque couple de phrases, trouve le mot mystère.**

1. Ce soda se boit très .... / J'aime la crème .... sur les fraises.
2. Je te .... la réponse. / Cette fenêtre .... sur la rue.
3. .... cette pomme en deux. / Ne me .... pas la parole.
4. Ne .... pas à ce vase très fragile. / La fête .... à sa fin.
5. Nous avons pris le train en .... / Il faut gravir cent .... pour atteindre le sommet.

11. *Grille* **Dans cette grille trouve six noms d'animaux. Puis utilise chacun dans deux phrases où il aura un sens différent.**

L	O	U	P	X
I	J	A	O	K
O	T	L	U	D
N	A	S	L	V
C	H	I	E	N
E	C	U	P	M

1. Le .... est un animal dangereux. ....
2. Le .... est le roi des animaux. ....
3. Mon .... s'appelle Rex. ....
4. Mon petit .... miaule sans arrêt. ....
5. J'ai mis un collier anti-.......... à mon chien. ....
6. Ma .... a pondu deux œufs. ....

Mots génériques et mots spécifiques

12. *Quiz* **Coche les phrases vraies.**

1. Un mot générique a un sens général et englobe d'autres mots. ☐
2. Un mot spécifique a un sens plus restreint. ☐
3. Les mots génériques et les mots spécifiques appartiennent à la même famille. ☐
4. Un même mot peut être générique et spécifique. ☐

13. *Méli-mélo* **Dans la liste trouve trois noms génériques, puis pour chacun trois noms spécifiques.**

pays • tulipe • habitation • Angleterre • fleur • œillet • Allemagne • villa • chalet • hortensia • Espagne • manoir

Mot générique: ....
Mots spécifiques: ....
Mot générique: ....
Mots spécifiques: ....
Mot générique: ....
Mots spécifiques: ....

14. *Lettres mêlées* **Remets les lettres en ordre pour trouver une liste de quatre mots spécifiques. Trouve ensuite le mot générique correspondant.**

estacutqe: .... • tnboen: ....
étreb: .... • epahcua: ....

Mot générique: ....

MÉTHODE 4 Comment utiliser un dictionnaire ?

Un dictionnaire est un allié précieux… si on sait bien l'utiliser.

Je trouve rapidement le mot que je cherche

- En cherchant **le mot juste** : verbes à l'**infinitif**, noms **au singulier,** adjectifs au **masculin singulier**.
- En utilisant les **mots-repères** qui figurent en haut de chaque page : le **premier mot** sur la page de gauche, le **dernier mot** sur la page de droite.

Je cherche le mot *lyre* : je cherche dans la double page *lump/lyrique*.

Je vérifie que j'ai bien compris

1 **Observe les mots en gras.**

Les **poètes récitaient** leurs poèmes en **s'accompagnant** de la lyre.

1. Sous quelle forme trouveras-tu ces mots dans le dictionnaire ? ……………………
2. Dans quelle double page le mot *poète* se trouve-t-il : plusieurs/pogrom ou poids/point ou point-poisson ?

……………………

Je comprends les informations données

prononciation (en alphabet phonétique) **classe grammaticale** **chiffres** pour repérer les **différents sens** d'un mot **homonyme**	LYRE [lir] n.f. 1. Instrument de musique antique à cordes pincées, fixées sur une caisse de résonance. *Jouer de la lyre.* 2. LITTÉR. Symbole de la poésie, de l'expression poétique. « *Toute la lyre* » (recueil poétique de Victor Hugo). HOM. 1 LIRE « comprendre les écrits », 2 LIRE « monnaie ». ÉTYM. latin *lyra*, grec *lura*. Le Robert Collège millésime 2015, © Sejer-Dictionnaires Le Robert (2015).	**exemple** **citation** **étymologie**

Je vérifie que j'ai bien compris

2 **Réponds aux questions portant sur l'article *lyre*.**

1. Quelles sont la classe grammaticale et le genre du mot *lyre* ? ……………………
2. Quel est le sens premier de *lyre* ? ……………………
3. Quel est le sens figuré ? ……………………
4. Quelle est l'étymologie du mot *lyre* ? ……………………
5. Quels sont les homonymes du mot *lyre* ? ……………………

À RETENIR

- **Penser à utiliser les mots-repères pour accélérer les recherches.**
- **Bien connaître les abréviations pour utiliser toutes les ressources d'un dictionnaire.**

J'APPLIQUE LA MÉTHODE

3 Précise le sens de chacune de ces abréviations.

1. adj.: ....
2. v.: ....
3. adv.: ....
4. pron.: ....
5. prép.: ....
6. fam.: ....
7. littér.: ....
8. n. pr.: ....
9. contr.: ....
10. étym.: ....
11. péj.: ....
12. syn.: ....

4 Indique les deux (ou trois) classes grammaticales possibles pour chacun de ces mots.

1. vers: ....
2. contre: ....
3. lancer: ....
4. monstre: ....
5. lointain: ....
6. long: ....

5 Barre la mauvaise orthographe.

1. malgré / malgrés
2. bizzare / bizarre
3. parmis / parmi
4. interressant / intéressant
5. bâteau / bateau
6. dés que / dès que
7. en revoir / au revoir
8. familliale / familiale
9. passionément / passionnément
10. aéroport / aréoport
11. étonamment / étonnamment
12. ici / içi

6 Souligne les noms féminins et surligne les mots masculins.

1. autoroute
2. espèce
3. solde
4. soldes
5. orque
6. oasis
7. otarie
8. planisphère
9. sentinelle
10. orgue

7 Donne un synonyme du mot *fort* pour chaque phrase et indique sa classe grammaticale.

1. Je comprends **fort** bien votre réticence à intervenir dans cette affaire. ....
2. De **fortes** chutes de neige ont bloqué la route ....
3. Le plus **fort**, c'est qu'il juge tout sans rien y connaître. ....
4. Les soldats sont parvenus à prendre le **fort**. ....

8 **BILAN**

Lis le texte suivant et réponds aux questions.

J'aime le son du Cor, le soir au **fond** des bois,
Soit qu'il **chante** les pleurs de la biche aux abois,
Ou l'adieu du chasseur que l'écho faible *accueille*,
Et que le vent du Nord porte de feuille en feuille.

Alfred de Vigny, *Poèmes antiques et modernes*, «Le cor» (1826).

a) Quel mot et à quelle double page chercheras-tu le mot en italique ?

Mot: ....

Double page: ....

b) Quels sens les deux mots en gras ont-ils dans le texte ?

Fond: ....

Chante: ....

c) Quel est le sens de *son* dans le texte ? Donne ses deux homonymes et recopie leurs classes grammaticales et leurs définitions.

Dans le texte: ....

Homonyme: ....

Homonyme: ....

d) Trouve dans le dictionnaire une expression utilisant les mots *cor* et *vent* puis indique leur sens.

Cor: ....

Vent: ....

38 Je sais organiser un texte et utiliser les connecteurs

Je sais utiliser les connecteurs spatiaux et temporels

- Pour **structurer un texte**, on utilise des connecteurs spatiaux et temporels (adverbes, conjonctions, GN).
- Les **connecteurs spatiaux** s'utilisent surtout dans les **passages descriptifs**.
- Ils permettent **de situer les différents éléments d'un lieu ou d'un décor**. Ils suivent le regard du narrateur **latéralement** (*à gauche, à droite, à côté, de l'autre côté, au milieu…*), **en profondeur** (*devant, derrière, près de, ici, là, là plus loin, au fond, à l'horizon, ailleurs…*), **verticalement** (*en haut, en bas, au-dessus, au-dessous, au centre…*).
- Les **connecteurs temporels** permettent d'organiser le récit **en situant les actions** les unes par rapport aux autres.
- Ils peuvent exprimer la **succession** des actions (*d'abord, puis, une fois que, après ce jour, enfin…*), leur **simultanéité** (*au même moment, pendant que…*), leur **fréquence** (*souvent…*), leur **durée** (*toute la semaine…*) ou leur **date** (*hier, la veille, le 15 novembre…*).

1 **Complète à l'aide de ces connecteurs temporels :** ***un jour, depuis, dès que, et, alors que, chaque jour.***

1. .... les enfants jouaient, un chien survint dans le bac à sable.

2. Aussitôt, son maître arriva. .... les enfants eurent surmonté leur peur, ils s'amusèrent avec l'animal.

3. ...., ..., ils espèrent retrouver leur compagnon de jeu. ...., il revint .... tout le monde fut content.

2 **Complète le texte à l'aide des connecteurs spatiaux suivants :** ***au milieu, à droite, à nos pieds, à gauche, autour, au-dessus, au loin.***

1. Nous entrons dans le village : ...., la boulangerie, ... un magasin de fleurs.

2. ...., se dresse l'église et .... une très jolie place fleurie.

3. .... du clocher, le ciel commençait à s'assombrir, ..., de grosses gouttes se mirent à tomber, ... les premiers coups de tonnerre retentirent.

3 **Complète le texte avec des connecteurs temporels variés.**

1. Nous sommes sans clés : ...., nous essayons en vain de passer par la fenêtre.

2. ...., nous discutons, ... Aurélie suggère de voir si la porte de la cave est ouverte. ...., Jules s'aperçoit que la fenêtre du premier étage est ouverte.

3. ...., trouver une échelle. ...., la placer contre le mur. ...., monter avec précaution et entrer dans la maison.

4 **Complète le texte avec des connecteurs spatiaux variés.**

1. ...., un promeneur contemplait le paysage.

2. ...., poussaient des herbes folles. ...., s'écoulait la Seine.

3. ...., il distinguait Notre-Dame. .... passait une barque dirigée par une frêle jeune fille…

Je sais utiliser les connecteurs logiques

- Les connecteurs logiques **introduisent et lient les arguments** visant à **convaincre**.
- Ils guident le lecteur en mettant en évidence la **logique du raisonnement** grâce à :

– la **cause**, la **justification** : *car, parce que, en effet…*
– l'**opposition** : *mais, pourtant, cependant, bien que, en revanche…*
– la **conséquence** : *alors, c'est pourquoi, en conclusion, finalement…*
– l'**addition d'arguments** : *et, de plus, ensuite, enfin, d'ailleurs, de surcroît…*

5 Complète avec un des connecteurs suivants : *de surcroît, c'est pourquoi, cependant.*

1. J'aime beaucoup Molière, ... mes parents m'ont emmenée voir L'Avare.

2. *L'Avare* est une comédie, ... je ne trouve pas Harpagon très drôle.

3. C'est un homme très avare, ... il ne semble pas aimer ses enfants.

6 Complète le texte avec des connecteurs logiques adaptés au contexte.

1. Il n'a pas répondu au téléphone, ..., j'étais persuadé qu'il était sorti de cours, je suis .... passé chez lui.

2. .... tu aimes le théâtre, je t'offre deux places pour aller voir la pièce de ton choix, ... ne tarde pas à les utiliser .... elles sont valables un mois.

3. Je suis très ennuyée : Pauline vient de m'inviter à son anniversaire mais j'avais promis à Julie d'aller au cinéma avec elle, ..., Enzo vient de m'envoyer un message pour que je l'accompagne à la piscine. .... je ne peux pas être dans trois endroits à la fois .... que j'aime beaucoup mes trois amis, je vais demander à Pauline d'inviter tout le monde, ... je les verrai tous les trois !

J'AMÉLIORE ma rédaction

7 Tu veux obtenir de tes parents l'autorisation de faire quelque chose. Complète le texte suivant avec tous les types de connecteurs.

.... le samedi d'Halloween. ...., je regardais les feuilles tomber. ...., c'était un véritable tapis. ...., j'apercevais des enfants courir ; Hugo m'avait invité à passer l'après-midi avec lui .... mes parents veulent .... que je travaille le samedi.

..............................., j'ai pensé leur dire que je n'avais pas de devoirs, ... j'ai eu peur qu'ils ne me croient pas, ..., je me suis souvenu que mes parents appréciaient Hugo qui était un très bon élève et .... je me suis rappelé la bonne note que je venais d'obtenir en dictée.

Je suis arrivé au salon ; ...., ma mère lisait dans son fauteuil, ..., mon père regardait la télévision. Voilà .... ce que je leur ai dit :

« Papa, maman, Hugo m'invite .... samedi pour Halloween. Je sais que vous n'allez pas être d'accord .... je dois faire mes devoirs, ... vous connaissez le sérieux d'Hugo, s'il m'invite, c'est bien sûr pour Halloween , mais pas seulement ! Nous devons faire un exposé ensemble, ... nous commencerons par l'exposé et .... seulement, nous sortirons nous amuser. ...., j'ai oublié de vous dire que j'avais eu 18 en dictée, vous n'avez .... pas à vous inquiéter, mon travail est prioritaire. »

Coche la couleur que tu as le mieux réussie.

- ☐ Relève de nouveaux défis ! ⟶ exercices 1, 2, p. 114
- ☐ Améliore tes performances ! ⟶ exercices 3, 4 p. 114
- ☐ Prouve que tu es un champion ! ⟶ exercices 5, 6 p. 114

Chacun son rythme

39 Je sais prendre en compte la situation de communication

Je reconnais les deux types d'énoncés

• Il existe deux types d'énoncés : **ancré dans** ou **coupé de** la situation de communication.

• Un énoncé **ancré** dans la situation de communication contient des renseignements sur le **lieu** et le **moment de l'écriture**. On sait aussi **qui est le narrateur** et **à qui il s'adresse**.

Cet énoncé peut être une **lettre**, un **journal intime**, un **journal de bord**, un **dialogue**, un **reportage en direct**, un **sms**, un **mail**, un **procès-verbal**…

• Un énoncé **coupé** de la situation d'énonciation ne contient aucun de ces renseignements.

Cet énoncé peut être un **roman**, un **conte**, une **nouvelle**, un **texte documentaire**, un **manuel scolaire**, un **dictionnaire**…

1 Indique si les énoncés suivants sont ancrés ou non dans la situation de communication.

	Ancré	Coupé
1. Pourras-tu venir demain ?	☐	☐
2. Molière vivait au XVIIe siècle.	☐	☐
3. Je viens d'arriver à l'aéroport.	☐	☐
4. Il était une fois un roi et une reine.	☐	☐
5. Cet immeuble date du XVIIe siècle.	☐	☐
6. Nous assistons à la finale du championnat.	☐	☐

2 Indique à quel type de textes ces énoncés peuvent appartenir.

1. Bien arrivés à Chamonix, à 8 h 00 ce matin. ……………………………………

2. Le jour venait de se lever, un couple sortit d'une petite maison. ……………………………………

3. Les terminaisons du présent de l'indicatif varient en fonction du groupe. ……………………………………

Je sais rédiger un texte ancré dans la situation de communication

• Les **temps les plus utilisés** sont le présent, l'imparfait, le passé composé et le futur.

• Toutes les personnes peuvent s'y trouver, **la 1re et la 2e** renvoient à l'**émetteur** et au **destinataire** du message. *Je te retrouve à 8 h 00, ma sœur sera avec moi.*

• Les **indices d'espace et de temps** ont un sens qui varie en fonction de la situation de communication (*hier, demain, aujourd'hui, ici, là-bas, maintenant,* etc.). Le mot *hier* signifie 16 janvier dans une lettre datée du 17 mais 20 dans une lettre datée du 21.

3 Souligne les indices prouvant que les phrases sont ancrées dans la situation de communication. Indique de quel type de texte il s'agit.

1. Elle arriva en courant : « j'ai eu peur que tu ne m'attendes pas. » ……………………………………

2. Je t'écris depuis Paris pour te déclarer combien je t'aime ! ……………………………………

3. Aujourd'hui, 9 mai, le vent est tombé, la mer est calme, nous nous rapprochons des Antilles.

……………………………………

4 **Analyse les situations de communication : qui parle ? à qui ? où ? quand ?**

Parfois certains renseignements ne sont pas précisés. Essaie de les imaginer.

1. Val Thorens le 10 février 2016. Salut Théo, alors, tu travailles bien ? Moi, je fais du ski toute la journée, je pense bien à toi… Bisous, Julie

2. Le 22 janvier 2016. Mon cher journal, aujourd'hui, j'ai passé une journée extraordinaire, je vais te la raconter. Caroline

3. Procès-verbal du 15 janvier 2016

Cet après-midi, rue du Moulin, j'ai assisté à un vol à l'arraché de sac à main. Le voleur, qui courait à vive allure a arraché le sac d'une vieille dame alors qu'elle me demandait son chemin. J'ai pris l'homme en chasse, mais il est parvenu à s'échapper. Marcel Patulacci

Je sais rédiger un texte coupé de la situation de communication

- Les **temps les plus utilisés** sont le passé simple, l'imparfait, le plus-que-parfait et le conditionnel simple, mais le présent de vérité générale ou le présent de narration peuvent se rencontrer. *Ce film sorti en 1970 est un véritable chef-d'œuvre.* (présent de vérité générale)
- Les pronoms personnels sont à la **3e personne**.
- Les indices d'espace et de temps sont remplacés par des **GN** : *la veille, le lendemain, le jour même, à l'endroit où il se trouvait, à cet instant, etc. Il était arrivé la veille.*

5 **Relève les indices prouvant que ces énoncés sont coupés de la situation d'énonciation. À quel type de texte peux-tu les rattacher ?**

1. Il était une fois une reine qui mit au monde la plus jolie des petites princesses.

2. En plein centre de Paris, ce jour-là, les terrasses des cafés étaient noires de monde. Personne ne remarqua le jeune homme qui arriva et se glissa sans bruit au milieu des consommateurs.

3. Lorsqu'en 1662, Molière fait jouer *L'École des femmes*, certains se demandent si l'auteur, qui vient d'épouser Armande Béjart, de vingt ans sa cadette, ne s'est pas mis en scène lui-même.

6 **J'AMÉLIORE ma rédaction**

À partir du thème proposé, rédige deux textes : un coupé de la situation d'énonciation et l'autre ancré. Ajoute des indications de temps, des noms, des prénoms, des détails de ton choix.

Thème : une famille se rend au théâtre, pour voir *L'Avare*. Arrivés devant le théâtre fermé, ils s'aperçoivent qu'ils se sont trompés de jour.

Coche la couleur que tu as le mieux réussie.

- Relève de nouveaux défis ! → **exercices 7, 8 p. 114-115**
- Améliore tes performances ! → **exercice 9 p. 115**
- Prouve que tu es un champion ! → **exercice 10 p. 115**

40 Je sais utiliser les discours direct et indirect

Je sais utiliser le discours direct

• Les paroles sont **rapportées telles que prononcées à l'oral**, encadrées par des **guillemets** et précédées du **deux-points**. On utilise un **verbe de parole**, placé avant ou après.

*Il **dit** : « Mais qu'allait-il faire dans cette galère ? » / « Qu'allait-il faire dans cette galère ? » **dit**-il.*

• Les **connecteurs** de temps et de lieu, les temps des **verbes** et les **pronoms personnels** sont ceux des textes **ancrés** dans la situation de communication : *ici, demain*, etc.

1 Transforme ces situations en dialogues. Utilise à chaque fois un verbe de parole.

1. Pierre annonce à ses parents sa réussite à un examen.

....

2. La mère de Julie lui demande comment elle a passé sa journée, Julie lui répond.

....

....

Lorsque qu'un **discours direct comporte plus d'une réplique**, on marque le **changement** de locuteur par un **tiret**.

3. Deux amis, Hugo et Jérémie, se retrouvent après les vacances, ils se saluent et s'informent de ce que l'autre a fait.

....

....

....

Je sais utiliser le discours indirect

• Les paroles sont **intégrées au récit** au moyen :

– de **conjonctives** introduites par ***que***. *Il a dit **qu'il était perdu**.*

– d'**interrogatives indirectes**. *Il demanda **ce qu'il allait faire dans cette galère**.*

– de **verbes à l'infinitif**. *Il lui demanda **de se dépêcher**.*

• On n'utilise **pas de ponctuation particulière**.

• Les **connecteurs** de temps et de lieu, le temps des **verbes** et les **pronoms personnels** sont ceux des textes coupés de la situation de communication : *la veille, à l'endroit où il était...*

Il m'a dit : « j'aime bien ton pull ». / Il m'a dit qu'il aimait bien mon pull.

2 Transpose du discours direct au discours indirect.

1. Ma sœur me dit : « je suis plus rapide que toi à la course ».

....

2. Arthur lui a demandé : « peux-tu me prêter une feuille de papier ? »

....

3. Mon entraîneur m'a dit : « viens trois fois par semaine si tu veux être prête pour le championnat. Cela te pose-t-il un problème ? » a-t-il ajouté.

....

....

Je sais varier les verbes de parole

• Il faut éviter de toujours utiliser *dire* et *répondre*. On peut :
– utiliser des **synonymes** : *affirmer, préciser, apprendre, ajouter, répliquer, riposter…*
– adapter le verbe au **contenu des paroles** : *demander, s'enquérir, ordonner, exiger, conseiller…*
– préciser le **ton utilisé** : *s'exclamer, s'écrier, hurler, rugir, chuchoter, murmurer…*
– préciser l'état **d'esprit** : *avouer, admettre, bégayer, hésiter, se plaindre, s'étonner…*
• **Remarque :** tous les verbes de paroles ne peuvent pas être utilisés au discours indirect.
« Où est Pierre ? » questionna-t-il. → *Il a* ***demandé*** *où était Pierre.*

3 **Remplace les pointillés par des verbes de parole autre que *dire* et *répondre*. N'utilise pas deux fois le même verbe.**

1. Le professeur de mathématiques .... qu'il faut réaliser l'exercice sur les vecteurs. Les élèves .... qu'il est bien trop facile.

2. Le maire .... qu'il allait faire construire une patinoire géante. Les conseillers .... que c'était l'idée de l'année. Le chef de l'opposition .... que c'était encore un projet farfelu et un gouffre financier.

3. Sherlock .... que le coupable était le maître d'hôtel. Ce dernier .... comment il pouvait être coupable puisqu'il n'était pas sur les lieux du crime. L'enquêteur .... que son alibi était un faux.

4 **J'AMÉLIORE** ma rédaction

Réécris ce texte en passant du discours direct au discours indirect et inversement.

Le professeur nous demanda : « Qu'avez-vous pensé de la pièce ?
– Je déteste Harpagon, déclara Enzo, pourquoi Molière a-t-il placé un personnage aussi antipathique dans une comédie ? Harpagon ne me fait pas rire du tout et je plains vraiment ses enfants ! »
Madame Durand nous expliqua alors qu'une comédie n'avait pas pour seul but des nous faire rire, mais qu'elle avait aussi une portée morale et que sa devise depuis l'Antiquité était d'ailleurs : « Châtier les mœurs par le rire ».

....
....
....
....
....
....
....
....

Coche la couleur que tu as le mieux réussie.

- ☐ Relève de nouveaux défis! → exercice 11 p. 115
- ☐ Améliore tes performances! → exercice 12 p. 115
- ☐ Prouve que tu es un champion! → exercice 13 p. 115

Chacun son rythme

Je sais organiser un texte et utiliser les connecteurs

1. Quiz **Coche les phrases vraies.**

1. Les connecteurs de temps soulignent la chronologie du récit. ☐
2. Les connecteurs logiques se rencontrent surtout dans les descriptions. ☐
3. Les connecteurs de lieu aident à mieux imaginer le décor. ☐
4. Les connecteurs sont toujours des adverbes. ☐

2. Range-phrases **Range ces phrases par leur numéro en fonction des connecteurs qu'elles contiennent.**

1. À l'avant de la maison se trouve la cuisine, à l'arrière les chambres. 2. Au loin, tu aperçois la mer. 3. Tu mets d'abord la farine et ensuite les œufs. 4. Il n'était pas content parce que je ne l'ai pas raccompagné. 5. Il sort, puis il rentre et sort à nouveau. 6. Il a plu mais c'était tout de même agréable.

Connecteurs de temps	Connecteurs de lieu	Connecteurs logiques
....	....	....
....	....	....

3. Méli-mélo **Place les connecteurs mélangés dans les bonnes phrases.**

cependant • en premier • puis • derrière toi • car • enfin • c'est pourquoi • devant toi • ensuite

1. ...., il y a la mer, ... il y a la ville.
2. Fais .... la pâte, ... laisse-la reposer deux heures ; enfourne .... le gâteau une demi-heure ; .... déguste-le.
3. C'était un beau voyage, ... nous n'avons pas pu tout visiter.
4. Il est allé en Espagne .... en Angleterre.
5. Nous vous laisserons les clés chez la voisine .... nous rentrerons assez tard.
6. J'ai oublié de l'avertir, ... il a raté ce beau spectacle.

4. Jeu du pendu **Retrouve les connecteurs de chaque phrase et indique leurs sens.**

1. P _ _ _ _ _ _ _ _ _ _ _ t tu presses trois citrons, d _ _ _ _ _ _ _ _ _ _ _ _ t tu ajoutes de l'eau et du sucre, e _ _ _ n tu dégustes une excellente citronnade. ....
2. Je viendrai p _ _ _ _ _ e tu le demandes si gentiment. ....

5. Grille **Retrouve cinq connecteurs dans la grille et utilise chacun dans une phrase.**

I	C	I	S	I	S
G	A	L	O	R	S
V	F	D	O	N	C
W	L	H	N	D	A
S	E	T	M	U	R
D	E	M	A	I	N

1. ....
2. ....
3. ....
4. ....
5. ....

6. Devinette **Barre tous les connecteurs de lieu et logiques, tu trouveras l'énoncé d'une devinette dont la réponse est un connecteur de temps.**

Jeläfuspourtantdemainprèsjedevantseraiainsihierloin quidoncsuisparcequeje ?

Devinette : ....

Réponse : ....

Je sais prendre en compte la situation de communication

7. Quiz **Coche les phrases vraies.**

Un énoncé ancré dans la situation de communication :

☐ indique où et quand le message a été rédigé.

☐ est le plus souvent à la 3e personne.

Un énoncé coupé de la situation de communication :

☐ indique qui parle et à qui.

☐ est le plus souvent à la 3e personne.

8. Range-phrases **Classe ces phrases par leur numéro dans la bonne colonne.**

1. Il fait beau aujourd'hui. 2. Ils sont arrivés par un beau matin d'automne. 3. Il était une fois une jeune princesse. 4. Tu avais une très jolie robe hier. 5. Où cours-tu ainsi ? 6. Dans ce pays, il ne pleuvait jamais.

Ancrées dans la situation de communcation	Coupées de la situation de communication
....	....
....	....

9. Méli-mélo **Place chacun des noms mélangés avec l'énoncé qui convient puis précise la situation de communication.**

lettre • roman • journal de bord • dictionnaire • conte

1. Fable : n.f. Petit récit en vers ou en prose se terminant par une morale. ....
2. La fée d'un coup de baguette magique transforma la citrouille en carrosse. ....
3. Le 21/3/1645. Après trois jours de navigation, nous apercevons une côte, l'équipage est épuisé. ....
....
4. Chère maman, je passe d'excellentes vacances, mais je m'ennuie de toi. ....
5. Le spectacle de la mer déchaînée le transportait, l'exaltait et en même temps apaisait ses tourments.
....

10. Bouche-trous **Complète ce tableau.**

Énoncés	Ancré ou coupé	Indices	Type de texte
....	....	*Je, tu, te*, présent	sms
Les verbes d'état sont le plus souvent suivis d'un attribut du sujet.	....	....	....
....	....	....	conte

Je sais utiliser les discours direct et indirect

11. Quiz **Coche les phrases vraies.**

1. Au discours direct, les paroles sont rapportées telles qu'elles ont été prononcées. ☐
2. Au discours indirect, il faut utiliser une ponctuation caractéristique. ☐
3. Le verbe de parole est toujours placé avant le discours direct. ☐
4. Le tiret indique un changement d'interlocuteur. ☐

12. Méli-mélo **Place les verbes de parole dans les bonnes phrases puis précise comment sont rapportées les paroles : discours direct (D) ou indirect (I). Les verbes seront conjugués au passé composé.**

murmurer • rétorquer • s'écrier • avouer • demander • annoncer

1. « J'ai fait le meilleur temps ! .... mon frère. » ......
2. Je lui .... qu'il ne serait pas sélectionné, il .... que cela lui était égal. ......
3. Elle .... : « attendez-moi » mais nous n'avons pas entendu. ......
4. Nous lui .... que nous avions égaré la clé qu'elle nous avait confiée. ......
5. Elles m' .... si je pouvais les accompagner. ......

13. Lettres mêlées **Remets les lettres en ordre puis conjugue le verbe de parole au passé simple. Réécris ensuite la phrase au discours inverse en changeant s'il le faut le verbe de parole.**

1. « Je n'y croyais plus, s'(roeéntn) .... ma mère. »
....
....
2. Il (ermtdate) .... qu'il avait commis une erreur.
....
....
3. Il (erhuocthc) .... : « je m'éclipse, ne dis rien à personne ».
....
....

41 Je sais éviter les répétitions

Je sais faire une reprise pronominale

• On peut reprendre un GN par :
– un pronom **personnel** : *il, elle, lui, le, la... un père = il*
– un pronom **démonstratif** : *celui-ci, celle-là, cela... un père = celui-ci*
– un pronom **possessif** : *le mien, la tienne, les leurs... un père = le sien*
– un pronom **relatif** : *qui, que, dont, auquel, de laquelle... un père = qui*

1 Souligne les reprises pronominales des noms en gras.

1. Quel **fiancé** choisira-t-elle ? Celui de son cœur, pas celui de la raison.
2. **L'homme** auquel elle pense est fougueux. Il est imprévisible.
3. **L'histoire** que j'ai racontée ne vaut pas la tienne.

2 Remplace les GN en gras par des pronoms.

1. Tu te déplaces à un **rythme** très rapide, ... est plus lent.
2. J'ai lu un **livre** .... m'a passionné et .... je te recommande.
3. Elle peut choisir le **métier** .... lui plaît. Son père .... acceptera.

Je sais reprendre le même nom en changeant de déterminant et/ou en ajoutant un adjectif

• On peut reprendre un nom en utilisant **un déterminant plus précis**.
un amoureux = l'amoureux, cet amoureux, son amoureux
• On peut aussi le reprendre en ajoutant **un adjectif qui le précise**.
un homme = cet homme courageux, l'homme intrépide

3 Remplace le GN en gras par un GN comportant le déterminant indiqué.

1. Démonstratif : **Un homme** s'est présenté. .... voulait s'engager dans l'armée.
2. Article : **Un amour** est né, ... de deux adolescents fougueux et irréfléchis.
3. Article, possessif : Je vais vous présenter **une pièce** de théâtre. .... dont je veux vous parler est .... préférée.

4 Propose une reprise des noms en gras en ajoutant un adjectif.

1. Elsa est **l'amie** de Léa. .... l'a toujours soutenue.
2. **Célia** est amoureuse de **Johann**. C'est pourquoi .... espère épouser
....
3. La sœur de **Céline** lui répète **le discours de leur père**. .... ne se lasse pas d'entendre ....

Je sais faire une reprise nominale avec un synonyme, un nom générique ou une périphrase

• Un nom peut être repris par :
– un **synonyme**. *le soldat = le guerrier*
– un **nom générique** (plus général). *le soldat = l'homme*
– une **périphrase**, un groupe de mots qui le caractérise. *l'Himalaya = le toit du monde*

5 Complète par des synonymes des mots en gras pour éviter des répétitions.

1. Votre **venue** nous a beaucoup touchés d'autant que c'était .... inattendue.

2. Ces deux enfants **se querellent** souvent, cesseront-ils de .... lorsqu'ils grandiront ?

3. Pierre a de grandes **vertus**. Nul doute que son fils a hérité de ses ....

6 Évite les répétitions des noms en gras en proposant deux noms génériques.

1. Nous avons adopté un petit **chat**, ce petit .... réjouit toute la famille.

2. Jules m'a offert une **rose**, cette .... est une preuve d'amour.

3. Nous avons fait une promenade en **barque** ; ce / cette .... ne me semblait pas très fiable.

7 Identifie les périphrases suivantes.

1. le septième art : ....

2. le Nouveau Monde : ....

3. la langue de Molière : ....

4. la langue de Shakespeare : ....

5. la ville lumière : ....

6. voir le jour : ....

7. le grand écran : ....

8. le petit écran : ....

9. le meilleur ami de l'homme : ....

10. la planète bleue : ....

11. le royaume des morts : ....

12. la mer de sable : ....

8 **J'APPLIQUE** pour écrire

Complète ce texte en utilisant au moins trois périphrases et trois autres procédés de reprise différents.

J'aime (4) le cinéma (1). Le (périphrase 1) .... me ravit, m'emporte et me fait voyager. Grâce à (pronom 1) ...., je peux arpenter les rues de Paris (2) puis quitter (périphrase 2) .... pour l'Amérique (3). Les westerns me permettent de découvrir les grands espaces du (périphrase 3) .... Qu'importe que le film soit en anglais (4)ou en français (5), j'(synonyme 4) .... autant la (périphrase 4) .... que (périphrase 5) .... Le (périphrase 1) .... est la plus belle invention de la Terre (6). Comme on devait s'ennuyer sur (périphrase 6) .... lorsqu'(pronom 1) .... n'existait pas !

Coche la couleur que tu as le mieux réussie.

- ☐ Relève de nouveaux défis ! ⟶ **exercices 1, 2, p. 122**
- ☐ Améliore tes performances ! ⟶ **exercice 3 p. 122**
- ☐ Prouve que tu es un champion ! ⟶ **exercices 4, 5, p. 122**

42 Je sais ponctuer un texte

Je sais utiliser les deux sortes de ponctuation

• La **ponctuation forte** est **suivie d'une majuscule** et marque la **fin d'une phrase**.
– Le **point**, les **points de suspension**: déclaration achevée ou non.
– Les **points d'interrogation** et **d'exclamation**: phrases interrogatives ou exclamatives.

Nous partons ce soir. Viendrez-vous avec nous ? Quelle chance !

• La **ponctuation faible** marque **des pauses** à l'intérieur d'une phrase.
– La **virgule** sépare des mots ou des groupes de mots.
– Le **deux-points** annonce des paroles, une explication ou une énumération.
– Le **point-virgule** sépare des propositions ayant un sens complet.
– Les **parenthèses** sont utilisées pour ajouter une explication ou une courte précision.

Ce chevalier (qui était fort âgé) était d'une vigueur incroyable.

– Les **guillemets** introduisent les paroles rapportées et s'utilisent aussi pour encadrer une citation.

Le Cid connut un immense succès, Boileau l'a fort bien exprimé : « tout Paris pour Chimène a les yeux de Rodrigue ».

1 **Rétablis les signes de ponctuation.**

N'oublie pas les majuscules!

1. ... s-tu allé dans le nouveau magasin de sports .... n y trouve toutes sortes de chaussures.. raquettes..... balles justaucorps........

2. ... e suis arrivée en courant devant le collège ..... j'avais peur d'être en retard ...... en fait j'avais une heure d'avance.....

3. .... uelle frayeur ..... e me promenais tranquillement dans la rue ..... soudain un chien me saute dessus .... je lâche mon sac et je tombe par terre ...... heureusement la maîtresse du chien arrive et le rattrape.....

2 **Rétablis les parenthèses et les guillemets.**

1. Nous sommes allés à la piscine .... celle qui vient d'être rénovée .... hier après-midi.

2. Elle était très essoufflée .... du moins elle en avait l'air .... et s'est reposée avant de nous rejoindre.

3. Si on te dit ...... pour qui sont ces serpents qui sifflent sur nos têtes ...... tu comprends tout de suite ce qu'est une allitération .... figure de style très utilisée en poésie .....

Je sais utiliser la ponctuation pour faire des phrases plus courtes

• Il faut éviter d'écrire des phrases trop longues et ne pas hésiter à couper l'énoncé **par un signe de ponctuation** (point, point-virgule) ; la compréhension sera facilitée.

Plus tôt, dans l'après-midi, elle sursauta en entendant du bruit dans la rue/. ***E****lle s'approcha de la fenêtre pour voir ce qu'il se passait/* ***;*** *il y avait un attroupement qui l'empêcha de comprendre.*

• Les connecteurs sont utiles, mais pour **alléger les phrases** on peut remplacer *et, et puis, ensuite, car, en effet alors...* par une **virgule** ou un **deux-points**.

Il entre et puis pose ses affaires bruyamment alors tout le monde est réveillé.
Il entre, pose ses affaires bruyamment : tout le monde est réveillé.

3 **Coupe ces phrases trop longues en remplaçant les connecteurs par un signe de ponctuation.**

1. Il se retourna vivement car quelque chose avait bougé.

....

2. Votre fille aime beaucoup lire et elle sait bien écrire donc il faut l'encourager à exercer son talent !

....

3. Il sentit son interlocuteur réagir alors il croisa son regard dur, et, en même temps, il lui sembla y lire comme un appel.

....

Je sais utiliser la ponctuation pour mettre des mots en valeur

• Pour mettre en valeur les **adjectifs** (ou les **participes** employés comme adjectifs épithètes ou attributs d'un nom), on peut les **mettre en apposition, entre virgules** et éventuellement **les déplacer en début de phrase**.

Elle s'est précipitée dans mes bras hurlant de joie. → *Hurlant de joie, elle s'est précipitée dans mes bras.*

Il était tout content et nous a invités à boire un verre. → *Tout content, il nous a invités à boire un verre.*

4 **Réécris ces phrases en mettant les adjectifs ou participes passés en valeur.**

1. Elle ne nous a pas rejoints vexée qu'on ne l'ait pas attendue.

....

2. Elle semblait étrangement calme au milieu de l'agitation générale et s'est éloignée comme s'il ne se passait rien.

....

3. Tous les participants étaient anxieux et attendaient les résultats. Le directeur amusé sans doute par leur attitude tardait à paraître.

....

....

5 **J'APPLIQUE pour écrire**

Réécris ce texte sur une feuille à part : coupe la phrase entre crochets, supprime les connecteurs en gras et mets en valeur les groupes soulignés.

[Le professeur de français nous a expliqué aujourd'hui ce qu'était un dilemme cornélien et a pris pour exemple *Le Cid* que nous étudions en ce moment.] Rodrigue est <u>confronté à un choix impossible</u> **car** il doit obéir à son père et perdre la femme qu'il aime ou privilégier son amour et perdre son honneur. Je pense que si j'étais <u>obligée de faire un tel choix</u>, je n'hésiterais pas **et** je choisirais l'amour.

Coche la couleur que tu as le mieux réussie.

☐ Relève de nouveaux défis ! → exercices 6, 7 p. 122
☐ Améliore tes performances ! → exercice 8 p. 123
☐ Prouve que tu es un champion ! → exercices 9, 10 p. 123

43 Je sais nuancer mon expression

Je sais utiliser des adverbes modalisateurs

- Un énoncé neutre transmet juste une information. Il peut être **nuancé**: cela s'appelle la **modalisation**.
- Les adverbes peuvent apporter:

– une nuance d'**intensité**, en amplifiant ou en atténuant l'énoncé: *très, beaucoup, énormément, peu, légèrement, assez...*

*Sa robe est **assez** belle. Sa robe est **relativement** belle. Sa robe est **fort** belle.*

– une nuance de **doute**: *sans doute, peut-être, sûrement...*

*Elle est **sans doute** déjà arrivée.*

– un **jugement de valeur** (favorable ou défavorable): *bien, mal, trop, superbement, affreusement...*

*Elle était **superbement** habillée.*

1 Réécris deux fois chacune de ces phrases: en introduisant un adverbe qui atténue le sens, puis en utilisant un adverbe qui amplifie le sens.

1. L'Histoire est une matière intéressante.

....

2. Nous avons visité un grand château.

....

3. J'aime les comédies de Molière.

....

2 Introduis une nuance de doute ou un type de jugement dans ces énoncés. Utilise un adverbe modalisateur différent à chaque fois.

1. L'Australie est un très beau pays.

Doute : ....

2. Le mur a été repeint.

Jugement défavorable : ....

3. Pour vous y rendre, vous avez voyagé de très longues heures.

Doute : ....

Je sais choisir le vocabulaire

- On peut **varier l'intensité** avec des **synomymes** de sens plus forts ou plus faibles.

*C'est un **bon** gâteau. / C'est un gâteau **délicieux.** / C'est un gâteau **succulent**.*

- On peut introduire un **jugement de valeur** :

– avec un vocabulaire **positif (mélioratif)** ou **négatif (péjoratif)**. *Baptiste est un garçon **dynamique*** (jugement positif) / ***agité*** (jugement négatif).

– en ajoutant un **adjectif épithète**. *Elle* était accompagnée de son ***charmant** fils* (mélioratif) / *de son **horrible** fils* (péjoratif).

– en ajoutant des **suffixes**. *blanchâtre= d'un vilain blanc*

3 **Réécris ces phrases en remplaçant le terme en gras par un mot de même sens mais d'un degré plus fort.**

1. Nous sommes **intéressés** par l'étude de la littérature. ....

....

2. Nous **aimons** aller au cinéma. ....

3. Alexandre porte un **beau** costume. ....

4 **Remplace ou complète le terme en gras en suivant les consignes.**

1. Il y a des traces **noires** (suffixe péjoratif) .... sur le mur.

2. Viens dans mon (épithète de sens mélioratif) .... **bureau** qui est malheureusement envahi de **papiers** (suffixe péjoratif) ....

3. Elle est arrivée **habillée** (synonyme de sens mélioratif puis péjoratif) .... d'un pantalon à carreaux et d'un pull à rayures.

Je sais utiliser des verbes modalisateurs ou le conditionnel

- Les **verbes** *devoir, sembler, paraître, pouvoir...* permettent d'introduire une nuance de **doute**.

  Il est certain qu*'il fera beau demain.* ≠ ***Il se peut qu****'il fasse beau demain.*

- Le **conditionnel** permet d'exprimer des **faits imaginaires** ou **incertains**.

  Iléana ***est*** *impatiente d'aller à Poitiers.* ≠ *Iléana* ***serait*** *impatiente d'aller à Poitiers.*

5 **Réécris ces phrases en utilisant un verbe modalisateur.**

1. Il prend le train de 7 h 00. ....

2. Il va acheter un nouvel ordinateur. ....

3. Il est en pleine forme. (deux possibilités) ....

6 **Souligne les modalisateurs puis réécris les phrases en les supprimant et en les remplaçant par le conditionnel.**

1. Il se peut que nous n'ayons pas cours de français aujourd'hui. ....

....

2. Il est possible que le professeur soit malade. ....

3. Il a peut-être pris froid la semaine passée. ....

7 **J'APPLIQUE pour écrire**

Réécris ou complète les mots en gras en les nuançant selon les consignes.

Le Cid est une (ajout d'une épithète méliorative) .... **pièce** de Pierre Corneille. Il **s'est inspiré** (adverbe modalisateur de doute puis conditionnel) .... de l'œuvre de l'espagnol Guillèn de Castro. Cette pièce fut un **succès** (synonyme de sens plus fort) .... dès la première représentation. Tout Paris **aimait** (synonyme de sens plus fort) .... le **couple** (ajout d'une épithète méliorative) .... formé par Chimène et Rodrigue.

Coche la couleur que tu as le mieux réussie.

- ☐ Relève de nouveaux défis! → exercices 11, 12 p. 123
- ☐ Améliore tes performances! → exercice 13 p. 123
- ☐ Prouve que tu es un champion! → exercice 14 p. 123

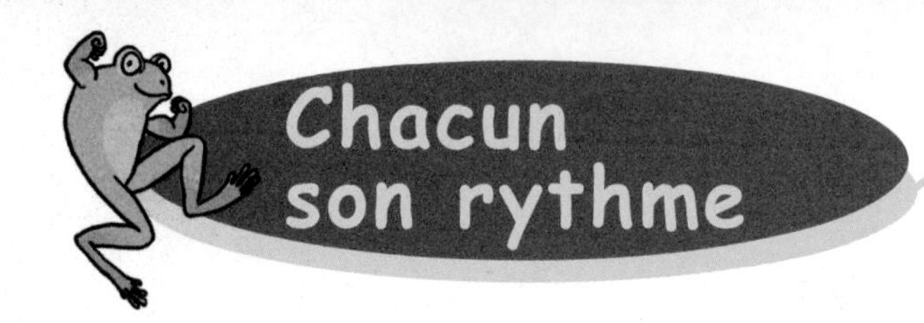

Je sais éviter les répétitions

1. Quiz **Coche les phrases vraies.**

Pour éviter les répétitions :

☐ on utilise toujours des pronoms.

☐ on peut utiliser des noms.

☐ on n'utilise jamais le même nom.

☐ on peut utiliser une périphrase.

2. Chasse à l'intrus **Barre l'intrus dans chaque liste de reprises et justifie ton choix.**

Liste 1 : le mien • celui-là • lui • mon ami • il • le • le sien

……………………………………………………

Liste 2 : l'enfant • le petit Jules • il • lui • ce garçon • la maîtresse • ce jeune garçon • ce petit coquin

……………………………………………………

……………………………………………………

3. Pyramide **Complète cette pyramide à l'aide des définitions, puis utilise les mots trouvés pour reprendre les mots en gras.**

1. Pronom personnel masculin
2. Pronom relatif
3. Pronom démonstratif
4. Il est dans le ciel
5. Il y en a quatre dans l'année
6. Il soigne

a. Le **soleil** brille aujourd'hui, cet …………… nous réchauffe.

b. Ne fais pas attention **au désordre** ! …………… ne me dérange pas.

c. J'aime **l'été** parce qu'en été cette ……………, nous partons en vacances.

d. J'ai acheté **un billet** à l'avance, …………… me permet de ne pas faire la queue.

e. Je sors de chez **l'oto-rhino** ; ce …………… a soigné mon angine.

f. Viens voir **mon frère**, …………… t'aime beaucoup.

4. Méli-mélo **Utilise les mots mélangés pour trouver deux reprises des noms en gras. Utilise ces reprises pour poursuivre les phrases.**

herbe • outil • le mien • gentil caniche • animal • rapace • oiseau • celui-ci • petit écran • loisir

1. Nous avons admiré des **vautours**. ……………………………………

2. Je vais racheter un **tournevis**. ……………………………………

3. J'utilise beaucoup le **persil**. ……………………………………

5. **Le chien** de ma voisine est très agréable. ……………………………………

6. Je regarde beaucoup la **télévision**. ……………………………………

5. Charade et lettres mêlées **Résous cette charade pour trouver un nom de pays puis remets les lettres en ordre pour trouver la périphrase qui le désigne.**

Mon premier se mesure avec un rapporteur. **Mon second** est notre planète. **Mon tout** a pour capitale Londres.

Réponse : ……………………………………

Périphrase : al dierpfe nlioba : ……………………………………

Je sais ponctuer un texte

6. Quiz **Coche les phrases vraies.**

La ponctuation permet :

– de faire des phrases courtes ☐

– de mettre des mots en valeur ☐

Les guillemets :

– ne s'utilisent que dans les dialogues ☐

– permettent de rapporter des paroles ☐

7. Méli-mélo **Replace les signes de ponctuation mélangés au bon endroit (un par phrase).**

: • ( ) • ? • !

1. Pourquoi avez-vous été si longs
2. Voici ce que j'ai pu trouver deux pommes, un petit pain et un yaourt.
3. Nous sommes allés au cinéma hier c'était la deuxième fois cette semaine pour voir Star Wars 7.
4. Quelle chaleur

8. Vrai ou faux **Barre les phrases mal ponctuées et justifie ton choix.**

1. Pourquoi es-tu parti si vite ?

....

....

2. Nous avons rencontré Monsieur Durand c'est le nom du nouveau principal et avons parlé longuement.

....

....

3. Je t'ai réservé une surprise une place pour aller voir un match de ton équipe préférée.

....

....

4. Quel manque de chance ! Ta sœur vient juste de sortir.

....

....

9. Remue-méninges **Réécris les phrases en fonction des consignes, en utilisant la ponctuation et/ou la place des mots.**

1. Elle est **frileuse** et n'ouvre jamais la fenêtre.

Mise en valeur du mot en gras : ....

....

2. Elle ne m'a pas répondu parce qu'elle savait qu'elle avait tort.

Suppression d'un connecteur : ....

....

3. Elle travaille beaucoup et comme elle ne se repose jamais elle est toujours fatiguée et ses amis lui disent de se reposer.

Couper la phrase : ....

....

....

10. Devinette **Barre tous les signes de ponctuation pour trouver l'énoncé d'une devinette que tu devras résoudre.**

Guillemetsqu'pointest-cevirgulequipoint-virguleapointd'interrogationdespointd'exclamationbranchesdeux-pointsetpointsdesuspensionpasdeparenthèsesfeuilles ?

Devinette : ....

....

Réponse : ....

Je sais nuancer ma pensée

11. Quiz **Coche les phrases vraies.**

1. Le conditionnel permet d'introduire une nuance d'intensité. ☐
2. Le conditionnel permet d'introduire une nuance de doute. ☐
3. Les adverbes s'utilisent seulement pour exprimer un jugement. ☐
4. Certains verbes sont utilisés pour exprimer un doute. ☐

12. Range-phrases **Souligne le modalisateur puis classe ces phrases par leur numéro dans le tableau.**

1. Il conduit trop vite. 2. Il conduit très vite. 3. Il conduisait probablement vite. 4. Elle doit arriver d'un instant à l'autre. 5. Il parle peu. 6. Leur maison est immense. 7. Leur maison est magnifiquement meublée. 8. Il serait en route pour la Bretagne.

Intensité	Doute	Jugement de valeur
....	....	....
....	....	....

13. Lettres mêlées **Remets les lettres en ordre pour retrouver le modalisateur dont tu préciseras le sens.**

1. Elle va (tiaenrtemcne) .... envoyer un message. ....
2. Je ne bois pas ce thé (edsatèsi) ....

....

3. Elle est (temenrêtmxe) .... intelligente. ....
4. Le trou est (ueluimncs) ....

14. Labo des mots **Réécris les phrases en les nuançant selon les consignes.**

1. Il est rêveur.
Adverbe d'amplification : ....
2. Il est déjà parti.
Verbe, idée d'incertitude : ....
3. Les murs sont recouverts d'une peinture grise.
Suffixe péjoratif : ....

....

PRONOMS ET DÉTERMINANTS

LES PRONOMS

Les pronoms remplacent un nom ou un GN. On les trouve devant un verbe ou après une préposition.

	DÉFINITIONS	EXEMPLES
Les pronoms personnels ◆ ***je • tu • il • ils*** → sujets ◆ ***elle • elles • nous • vous*** → sujets ou compléments ◆ ***me • moi • te • toi • le • la • l' • les • lui • leur • se • soi • eux*** → compléments	• Varient en **genre**, en **nombre**, en **personne** et parfois selon leur fonction grammaticale.	➧ ***Tu** as de grandes dents !* = pronom personnel sujet, 2e personne du sing. ➧ *Je vais **te** dévorer !* = pronom personnel COD, 2e personne du sing.
Les pronoms possessifs ◆ ***le / les mien(s) • tien(s) • sien(s)*** ◆ ***la / les mienne(s) • tienne(s) • sienne(s)*** ◆ ***le / la nôtre • vôtre • leur*** ◆ ***les nôtres • les vôtres • les leurs***	• **Remplacent** un **nom** et indiquent un **lien** (appartenance, filiation…) avec un autre nom du texte. • Varient en **genre**, en **nombre** et en **personne**.	➧ *J'ai oublié mon livre, prête-moi **le tien**, s'il te plaît.* = le livre de la personne à qui je parle
Les pronoms démonstratifs ◆ ***ce, celui • celle(s) • ceux*** ◆ ***celui-ci • celui-là • celle(s)-ci • celle(s)-là • ceux-ci • ceux-là*** ◆ ***ceci, cela (ça)***	• **Remplacent** un **nom** que l'on **montre** ou dont on a **déjà parlé**.	➧ *Aimes-tu les contes de Grimm ? – Oui, mais je préfère **ceux** de Perrault.* = les contes dont on vient de parler.

LES DÉTERMINANTS

Les déterminants précèdent un nom avec lequel ils s'accordent en genre et en nombre.

	DÉFINITIONS	EXEMPLES
Les articles ◆ **articles définis** : ***le • la • les • l'***	• S'emploient **devant un nom déjà utilisé** ou bien **précisé**.	➧ ***Les** contes de Perrault sont célèbres.*
◆ **articles indéfinis** : ***un • une • des***	• S'emploient **devant un nom jamais utilisé** ou **imprécis**.	➧ *J'aime lire **des** contes.*
◆ **articles définis contractés** : ***au(x) • du • des***	• **Contraction** des prépositions ***à*** ou ***de*** et des articles ***le*** ou ***les***.	➧ *Voici l'histoire **du** Petit Chaperon rouge.* = de + le
◆ **articles partitifs** : ***du • de la • de l'***	• Signifient « **un peu de** ».	➧ *Je t'apporte **du** beurre.*
Les déterminants possessifs ◆ ***mon • ton • son • ma • ta • sa • mes • tes • ses • notre • votre • leur • nos • vos • leurs***	• S'emploient **devant un nom** qui a un **lien** (appartenance, filiation…) avec un autre nom du texte.	➧ *La petite fille porte du beurre à **sa** grand-mère.* = la grand-mère de la petite fille
Les déterminants démonstratifs ◆ ***ce • cet • cette • ces*** ◆ ***ce… -ci / -là • cette… -ci / -là • ces… -ci / -là***	• S'emploient **devant un nom** que l'on montre ou dont on a **déjà parlé**.	➧ *J'ai lu les contes de Perrault et j'ai apprécié **cette** lecture.* = la lecture des contes de Perrault

LES PRINCIPAUX PRÉFIXES ET SUFFIXES

LES PRÉFIXES

Les préfixes se placent avant le radical ou le mot simple et ils en modifient le sens.

	SENS	EXEMPLES
a-* • *an-	négatif	*anormal*
***ad-* • *ap-* • *ac-*...**	vers	*addition* • *apporter*
com-* • *con-* • *col-* • *co-	avec	*concourir* • *colocataire*
dé(s)-	négatif	*désobéir*
dis-	séparer	*disjoindre*
e-* • *ex-	à l'extérieur	*exporter*
en-* • *em-* • *in-* • *im-	dans	*emplir* • *importer*
in-* • *im-* • *ir-* • *il-	négatif	*immortel* • *illisible*
mal-* • *mé-	négatif	*malhonnête* • *mécontent*
pré-	avant	*prévenir*
re-	répétition	*retour* • *refaire* • *revenir*
trans-	au-delà	*transporter*

LES SUFFIXES

Les suffixes se placent après le radical ou le mot simple. Ils peuvent changer la classe grammaticale d'un mot, mais aussi changer son sens.

SUFFIXES DE NOMS COMMUNS

	EXEMPLES
-ade* • *-age	*glissade* • *lavage*
-eur* • *-ateur* • *-euse* • *-atrice* • *-teur* • *-trice	*chercheur* • *animateur* • *lectrice*
-ien* • *-ienne* • *-en* • *-enne	*collégien*
-ement	*enlèvement*
-esse	*tristesse* • *ânesse*
-er* • *-ier* • *-ie* • *-erie	*boucher* • *épicier* • *lingerie*
-ise* • *-isme* • *-iste	*sottise* • *héroïsme*
-oir* • *-oire* • *-atoire	*mouchoir*
-té* • *-eté* • *-ité	*fierté*
-ure	*chevelure*

SUFFIXES D'ADJECTIFS

	EXEMPLES
-able* • *-ible* • *-uble exprime la possibilité	*variable* • *nuisible* • *soluble*
-al* • *-el	*matinal* • *intellectuel*
-ien* • *-ienne* • *-en* • *-enne	*aérien*
-eux* • *-ueux* • *-euse	*heureux* • *luxueux*
-if* • *-ive	*sportif*
-er* • *-ier* • *-ière	*gaucher* • *fruitier*
-ique	*héroïque*
-u	*ventru*

SUFFIXES DE VERBES

-er* • *-ir* • *-ifier* • *-iser	*chanter* • *finir* • *finaliser*

SUFFIXE D'ADVERBES

-ment (ajouté à un adjectif)	*heureusement*

SUFFIXES MODIFIANT LE SENS

	SENS	EXEMPLES
-et* • *-ette* • *-ot* • *-otte* • *-eau* • *-on	diminutifs	*jardinet* • *fillette* • *lapereau*
-asse* • *-âtre	péjoratifs	*paperasse* • *verdâtre*

QUELQUES RADICAUX LATINS

	EXEMPLES
aqua- (eau) • ***mar-*** (mer) • ***equ-*** (cheval)	*aquatique* • *maritime* • *équitation*
multi- (nombreux)	*multicolore*

QUELQUES RADICAUX GRECS

	EXEMPLES
bio- (vie) • ***hydr-*** (eau) • ***chrono-*** (temps)	*biologie* • *hydraulique* • *chronomètre*
poly- (nombreux)	*polychrome*

CONJUGAISON DE ÊTRE, AVOIR, JOUER, GRANDIR

ÊTRE

INDICATIF

PRÉSENT	PASSÉ COMPOSÉ
je suis	j'ai été
tu es	tu as été
il est	il a été
nous sommes	nous avons été
vous êtes	vous avez été
ils sont	ils ont été

CONDITIONNEL

PRÉSENT	PASSÉ
je serais	j'aurais été
tu serais	tu aurais été
il serait	il aurait été
nous serions	nous aurions été
vous seriez	vous auriez été
ils seraient	ils auraient été

IMPARFAIT	PLUS-QUE-PARFAIT
j'étais	j'avais été
tu étais	tu avais été
il était	il avait été
nous étions	nous avions été
vous étiez	vous aviez été
ils étaient	ils avaient été

SUBJONCTIF

PRÉSENT
que je sois
que tu sois
qu'il soit
que nous soyons
que vous soyez
qu'ils soient

PASSÉ SIMPLE	PASSÉ ANTÉRIEUR
je fus	j'eus été
tu fus	tu eus été
il fut	il eut été
nous fûmes	nous eûmes été
vous fûtes	vous eûtes été
ils furent	ils eurent été

IMPÉRATIF

PRÉSENT
sois
soyons
soyez

FUTUR SIMPLE	FUTUR ANTÉRIEUR
je serai	j'aurai été
tu seras	tu auras été
il sera	il aura été
nous serons	nous aurons été
vous serez	vous aurez été
ils seront	ils auront été

INFINITIF

PRÉSENT	PASSÉ
être	avoir été

PARTICIPE

PRÉSENT	PASSÉ
étant	été

AVOIR

INDICATIF

PRÉSENT	PASSÉ COMPOSÉ
j'ai	j'ai eu
tu as	tu as eu
il a	il a eu
nous avons	nous avons eu
vous avez	vous avez eu
ils ont	ils ont eu

CONDITIONNEL

PRÉSENT	PASSÉ
j'aurais	j'aurais eu
tu aurais	tu aurais eu
il aurait	il aurait eu
nous aurions	nous aurions eu
vous auriez	vous auriez eu
ils auraient	ils auraient eu

IMPARFAIT	PLUS-QUE-PARFAIT
j'avais	j'avais eu
tu avais	tu avais eu
il avait	il avait eu
nous avions	nous avions eu
vous aviez	vous aviez eu
ils avaient	ils avaient eu

SUBJONCTIF

PRÉSENT
que j'aie
que tu aies
qu'il ait
que nous ayons
que vous ayez
qu'ils aient

PASSÉ SIMPLE	PASSÉ ANTÉRIEUR
j'eus	j'eus eu
tu eus	tu eus eu
il eut	il eut eu
nous eûmes	nous eûmes eu
vous eûtes	vous eûtes eu
ils eurent	ils eurent eu

IMPÉRATIF

PRÉSENT
aie
ayons
ayez

FUTUR SIMPLE	FUTUR ANTÉRIEUR
j'aurai	j'aurai eu
tu auras	tu auras eu
il aura	il aura eu
nous aurons	nous aurons eu
vous aurez	vous aurez eu
ils auront	ils auront eu

INFINITIF

PRÉSENT	PASSÉ
avoir	avoir eu

PARTICIPE

PRÉSENT	PASSÉ
ayant	eu(es)

JOUER (1er GROUPE)

INDICATIF

PRÉSENT	PASSÉ COMPOSÉ
je joue	j'ai joué
tu joues	tu as joué
il joue	il a joué
nous jouons	nous avons joué
vous jouez	vous avez joué
ils jouent	ils ont joué

CONDITIONNEL

PRÉSENT	PASSÉ
je jouerais	j'aurais joué
tu jouerais	tu aurais joué
il jouerait	il aurait joué
nous jouerions	nous aurions joué
vous joueriez	vous auriez joué
ils joueraient	ils auraient joué

IMPARFAIT	PLUS-QUE-PARFAIT
je jouais	j'avais joué
tu jouais	tu avais joué
il jouait	il avait joué
nous jouions	nous avions joué
vous jouiez	vous aviez joué
ils jouaient	ils avaient joué

SUBJONCTIF

PRÉSENT
que je joue
que tu joues
qu'il joue
que nous jouions
que vous jouiez
qu'ils jouent

PASSÉ SIMPLE	PASSÉ ANTÉRIEUR
je jouai	j'eus joué
tu jouas	tu eus joué
il joua	il eut joué
nous jouâmes	nous eûmes joué
vous jouâtes	vous eûtes joué
ils jouèrent	ils eurent joué

IMPÉRATIF

PRÉSENT
joue
jouons
jouez

FUTUR SIMPLE	FUTUR ANTÉRIEUR
je jouerai	j'aurai joué
tu joueras	tu auras joué
il jouera	il aura joué
nous jouerons	nous aurons joué
vous jouerez	vous aurez joué
ils joueront	ils auront joué

INFINITIF

PRÉSENT	PASSÉ
jouer	avoir joué

PARTICIPE

PRÉSENT	PASSÉ
jouant	joué(es)

GRANDIR (2e GROUPE)

INDICATIF

PRÉSENT	PASSÉ COMPOSÉ
je grandis	j'ai grandi
tu grandis	tu as grandi
il grandit	il a grandi
nous grandissons	nous avons grandi
vous grandissez	vous avez grandi
ils grandissent	ils ont grandi

CONDITIONNEL

PRÉSENT	PASSÉ
je grandirais	j'aurais grandi
tu grandirais	tu aurais grandi
il grandirait	il aurait grandi
nous grandirions	nous aurions grandi
vous grandiriez	vous auriez grandi
ils grandiraient	ils auraient grandi

IMPARFAIT	PLUS-QUE-PARFAIT
je grandissais	j'avais grandi
tu grandissais	tu avais grandi
il grandissait	il avait grandi
nous grandissions	nous avions grandi
vous grandissiez	vous aviez grandi
ils grandissaient	ils avaient grandi

SUBJONCTIF

PRÉSENT
que je grandisse
que tu grandisses
qu'il grandisse
que nous grandissions
que vous grandissiez
qu'ils grandissent

PASSÉ SIMPLE	PASSÉ ANTÉRIEUR
je grandis	j'eus grandi
tu grandis	tu eus grandi
il grandit	il eut grandi
nous grandîmes	nous eûmes grandi
vous grandîtes	vous eûtes grandi
ils grandirent	ils eurent grandi

IMPÉRATIF

PRÉSENT
grandis
grandissons
grandissez

FUTUR SIMPLE	FUTUR ANTÉRIEUR
je grandirai	j'aurai grandi
tu grandiras	tu auras grandi
il grandira	il aura grandi
nous grandirons	nous aurons grandi
vous grandirez	vous aurez grandi
ils grandiront	ils auront grandi

INFINITIF

PRÉSENT	PASSÉ
grandir	avoir grandi

PARTICIPE

PRÉSENT	PASSÉ
grandissant	grandi(es)

CONJUGAISON DE ALLER, FAIRE, DIRE, PRENDRE

ALLER (3ᴱ GROUPE)

INDICATIF		CONDITIONNEL	
PRÉSENT	PASSÉ COMPOSÉ	PRÉSENT	PASSÉ
je vais tu vas il va nous allons vous allez ils vont	je suis allé(e) tu es allé(e) il (elle) est allé(e) nous sommes allé(e)s vous êtes allé(e)s ils (elles) sont allé(e)s	j'irais tu irais il irait nous irions vous iriez ils iraient	je serais allé(e) tu serais allé(e) il (elle) serait allé(e) nous serions allé(e)s vous seriez allé(e)s ils (elles) seraient allé(e)s
IMPARFAIT	PLUS-QUE-PARFAIT	SUBJONCTIF PRÉSENT	
j'allais tu allais il allait nous allions vous alliez ils allaient	j'étais allé(e) tu étais allé(e) il (elle) était allé(e) nous étions allé(e)s vous étiez allé(e)s ils (elles) étaient allé(e)s	que j'aille que tu ailles qu'il aille que nous allions que vous alliez qu'ils aillent	
PASSÉ SIMPLE	PASSÉ ANTÉRIEUR	IMPÉRATIF PRÉSENT	
j'allai tu allas il alla nous allâmes vous allâtes ils allèrent	je fus allé(e) tu fus allé(e) il (elle) fut allé(e) nous fûmes allé(e)s vous fûtes allé(e)s ils (elles) furent allé(e)s	va allons allez	
FUTUR SIMPLE	FUTUR ANTÉRIEUR	INFINITIF	
j'irai tu iras il ira nous irons vous irez ils iront	je serai allé(e) tu seras allé(e) il (elle) sera allé(e) nous serons allé(e)s vous serez allé(e)s ils (elles) seront allé(e)s	PRÉSENT: aller PARTICIPE PRÉSENT: allant	PASSÉ: être allé(es) PARTICIPE PASSÉ: allé(es)

FAIRE (3ᴱ GROUPE)

INDICATIF		CONDITIONNEL	
PRÉSENT	PASSÉ COMPOSÉ	PRÉSENT	PASSÉ
je fais tu fais il fait nous faisons vous faites ils font	j'ai fait tu as fait il a fait nous avons fait vous avez fait ils ont fait	je ferais tu ferais il ferait nous ferions vous feriez ils feraient	j'aurais fait tu aurais fait il aurait fait nous aurions fait vous auriez fait ils auraient fait
IMPARFAIT	PLUS-QUE-PARFAIT	SUBJONCTIF PRÉSENT	
je faisais tu faisais il faisait nous faisions vous faisiez ils faisaient	j'avais fait tu avais fait il avait fait nous avions fait vous aviez fait ils avaient fait	que je fasse que tu fasses qu'il fasse que nous fassions que vous fassiez qu'ils fassent	
PASSÉ SIMPLE	PASSÉ ANTÉRIEUR	IMPÉRATIF PRÉSENT	
je fis tu fis il fit nous fîmes vous fîtes ils firent	j'eus fait tu eus fait il eut fait nous eûmes fait vous eûtes fait ils eurent fait	fais faisons faites	
FUTUR SIMPLE	FUTUR ANTÉRIEUR	INFINITIF	
je ferai tu feras il fera nous ferons vous ferez ils feront	j'aurai fait tu auras fait il aura fait nous aurons fait vous aurez fait ils auront fait	PRÉSENT: faire PARTICIPE PRÉSENT: faisant	PASSÉ: avoir fait PARTICIPE PASSÉ: fait(es)

DIRE (3ᴱ GROUPE)

INDICATIF		CONDITIONNEL	
PRÉSENT	PASSÉ COMPOSÉ	PRÉSENT	PASSÉ
je dis tu dis il dit nous disons vous dites ils disent	j'ai dit tu as dit il a dit nous avons dit vous avez dit ils ont dit	je dirais tu dirais il dirait nous dirions vous diriez ils diraient	j'aurais dit tu aurais dit il aurait dit nous aurions dit vous auriez dit ils auraient dit
IMPARFAIT	PLUS-QUE-PARFAIT	SUBJONCTIF PRÉSENT	
je disais tu disais il disait nous disions vous disiez ils disaient	j'avais dit tu avais dit il avait dit nous avions dit vous aviez dit ils avaient dit	que je dise que tu dises qu'il dise que nous disions que vous disiez qu'ils disent	
PASSÉ SIMPLE	PASSÉ ANTÉRIEUR	IMPÉRATIF PRÉSENT	
je dis tu dis il dit nous dîmes vous dîtes ils dirent	j'eus dit tu eus dit il eut dit nous eûmes dit vous eûtes dit ils eurent dit	dis disons dites	
FUTUR SIMPLE	FUTUR ANTÉRIEUR	INFINITIF	
je dirai tu diras il dira nous dirons vous direz ils diront	j'aurai dit tu auras dit il aura dit nous aurons dit vous aurez dit ils auront dit	PRÉSENT: dire PARTICIPE PRÉSENT: disant	PASSÉ: avoir dit PARTICIPE PASSÉ: dit(es)

PRENDRE (3ᴱ GROUPE)

INDICATIF		CONDITIONNEL	
PRÉSENT	PASSÉ COMPOSÉ	PRÉSENT	PASSÉ
je prends tu prends il prend nous prenons vous prenez ils prennent	j'ai pris tu as pris il a pris nous avons pris vous avez pris ils ont pris	je prendrais tu prendrais il prendrait nous prendrions vous prendriez ils prendraient	j'aurais pris tu aurais pris il aurait pris nous aurions pris vous auriez pris ils auraient pris
IMPARFAIT	PLUS-QUE-PARFAIT	SUBJONCTIF PRÉSENT	
je prenais tu prenais il prenait nous prenions vous preniez ils prenaient	j'avais pris tu avais pris il avait pris nous avions pris vous aviez pris ils avaient pris	que je prenne que tu prennes qu'il prenne que nous prenions que vous preniez qu'ils prennent	
PASSÉ SIMPLE	PASSÉ ANTÉRIEUR	IMPÉRATIF PRÉSENT	
je pris tu pris il prit nous prîmes vous prîtes ils prirent	j'eus pris tu eus pris il eut pris nous eûmes pris vous eûtes pris ils eurent pris	prends prenons prenez	
FUTUR SIMPLE	FUTUR ANTÉRIEUR	INFINITIF	
je prendrai tu prendras il prendra nous prendrons vous prendrez ils prendront	j'aurai pris tu auras pris il aura pris nous aurons pris vous aurez pris ils auront pris	PRÉSENT: prendre PARTICIPE PRÉSENT: prenant	PASSÉ: avoir pris PARTICIPE PASSÉ: pris(es)

CONJUGAISON DE *POUVOIR, VOIR, DEVOIR, VOULOIR*

POUVOIR (3ᴱ GROUPE)

INDICATIF		CONDITIONNEL	
PRÉSENT	PASSÉ COMPOSÉ	PRÉSENT	PASSÉ
je peux	j'ai pu	je pourrais	j'aurais pu
tu peux	tu as pu	tu pourrais	tu aurais pu
il peut	il a pu	il pourrait	il aurait pu
nous pouvons	nous avons pu	nous pourrions	nous aurions pu
vous pouvez	vous avez pu	vous pourriez	vous auriez pu
ils peuvent	ils ont pu	ils pourraient	ils auraient pu

IMPARFAIT	PLUS-QUE-PARFAIT	SUBJONCTIF PRÉSENT
je pouvais	j'avais pu	que je puisse
tu pouvais	tu avais pu	que tu puisses
il pouvait	il avait pu	qu'il puisse
nous pouvions	nous avions pu	que nous puissions
vous pouviez	vous aviez pu	que vous puissiez
ils pouvaient	ils avaient pu	qu'ils puissent

PASSÉ SIMPLE	PASSÉ ANTÉRIEUR	IMPÉRATIF PRÉSENT
je pus	j'eus pu	-
tu pus	tu eus pu	-
il put	il eut pu	-
nous pûmes	nous eûmes pu	
vous pûtes	vous eûtes pu	
ils purent	ils eurent pu	

FUTUR SIMPLE	FUTUR ANTÉRIEUR
je pourrai	j'aurai pu
tu pourras	tu auras pu
il pourra	il aura pu
nous pourrons	nous aurons pu
vous pourrez	vous aurez pu
ils pourront	ils auront pu

INFINITIF		PARTICIPE	
PRÉSENT	PASSÉ	PRÉSENT	PASSÉ
pouvoir	avoir pu	pouvant	pu

VOIR (3ᴱ GROUPE)

INDICATIF		CONDITIONNEL	
PRÉSENT	PASSÉ COMPOSÉ	PRÉSENT	PASSÉ
je vois	j'ai vu	je verrais	j'aurais vu
tu vois	tu as vu	tu verrais	tu aurais vu
il voit	il a vu	il verrait	il aurait vu
nous voyons	nous avons vu	nous verrions	nous aurions vu
vous voyez	vous avez vu	vous verriez	vous auriez vu
ils voient	ils ont vu	ils verraient	ils auraient vu

IMPARFAIT	PLUS-QUE-PARFAIT	SUBJONCTIF PRÉSENT
je voyais	j'avais vu	que je voie
tu voyais	tu avais vu	que tu voies
il voyait	il avait vu	qu'il voie
nous voyions	nous avions vu	que nous voyions
vous voyiez	vous aviez vu	que vous voyiez
ils voyaient	ils avaient vu	qu'ils voient

PASSÉ SIMPLE	PASSÉ ANTÉRIEUR	IMPÉRATIF PRÉSENT
je vis	j'eus vu	vois
tu vis	tu eus vu	voyons
il vit	il eut vu	voyez
nous vîmes	nous eûmes vu	
vous vîtes	vous eûtes vu	
ils virent	ils eurent vu	

FUTUR SIMPLE	FUTUR ANTÉRIEUR
je verrai	j'aurai vu
tu verras	tu auras vu
il verra	il aura vu
nous verrons	nous aurons vu
vous verrez	vous aurez vu
ils verront	ils auront vu

INFINITIF		PARTICIPE	
PRÉSENT	PASSÉ	PRÉSENT	PASSÉ
voir	avoir vu	voyant	vu(es)

DEVOIR (3ᴱ GROUPE)

INDICATIF		CONDITIONNEL	
PRÉSENT	PASSÉ COMPOSÉ	PRÉSENT	PASSÉ
je dois	j'ai dû	je devrais	j'aurais dû
tu dois	tu as dû	tu devrais	tu aurais dû
il doit	il a dû	il devrait	il aurait dû
nous devons	nous avons dû	nous devrions	nous aurions dû
vous devez	vous avez dû	vous devriez	vous auriez dû
ils doivent	ils ont dû	ils devraient	ils auraient dû

IMPARFAIT	PLUS-QUE-PARFAIT	SUBJONCTIF PRÉSENT
je devais	j'avais dû	que je doive
tu devais	tu avais dû	que tu doives
il devait	il avait dû	qu'il doive
nous devions	nous avions dû	que nous devions
vous deviez	vous aviez dû	que vous deviez
ils devaient	ils avaient dû	qu'ils doivent

PASSÉ SIMPLE	PASSÉ ANTÉRIEUR	IMPÉRATIF PRÉSENT
je dus	j'eus dû	dois
tu dus	tu eus dû	devons
il dut	il eut dû	devez
nous dûmes	nous eûmes dû	
vous dûtes	vous eûtes dû	
ils durent	ils eurent dû	

FUTUR SIMPLE	FUTUR ANTÉRIEUR
je devrai	j'aurai dû
tu devras	tu auras dû
il devra	il aura dû
nous devrons	nous aurons dû
vous devrez	vous aurez dû
ils devront	ils auront dû

INFINITIF		PARTICIPE	
PRÉSENT	PASSÉ	PRÉSENT	PASSÉ
devoir	ayant dû	devant	dû, du(es)

VOULOIR (3ᴱ GROUPE)

INDICATIF		CONDITIONNEL	
PRÉSENT	PASSÉ COMPOSÉ	PRÉSENT	PASSÉ
je veux	j'ai voulu	je voudrais	j'aurais voulu
tu veux	tu as voulu	tu voudrais	tu aurais voulu
il veut	il a voulu	il voudrait	il aurait voulu
nous voulons	nous avons voulu	nous voudrions	nous aurions voulu
vous voulez	vous avez voulu	vous voudriez	vous auriez voulu
ils veulent	ils ont voulu	ils voudraient	ils auraient voulu

IMPARFAIT	PLUS-QUE-PARFAIT	SUBJONCTIF PRÉSENT
je voulais	j'avais voulu	que je veuille
tu voulais	tu avais voulu	que tu veuilles
il voulait	il avait voulu	qu'il veuille
nous voulions	nous avions voulu	que nous voulions
vous vouliez	vous aviez voulu	que vous vouliez
ils voulaient	ils avaient voulu	qu'ils veuillent

PASSÉ SIMPLE	PASSÉ ANTÉRIEUR	IMPÉRATIF PRÉSENT
je voulus	j'eus voulu	veux / veuille
tu voulus	tu eus voulu	voulons
il voulut	il eut voulu	voulez / veuillez
nous voulûmes	nous eûmes voulu	
vous voulûtes	vous eûtes voulu	
ils voulurent	ils eurent voulu	

FUTUR SIMPLE	FUTUR ANTÉRIEUR
je voudrai	j'aurai voulu
tu voudras	tu auras voulu
il voudra	il aura voulu
nous voudrons	nous aurons voulu
vous voudrez	vous aurez voulu
ils voudront	ils auront voulu

INFINITIF		PARTICIPE	
PRÉSENT	PASSÉ	PRÉSENT	PASSÉ
vouloir	ayant voulu	voulant	voulu(es)

Achevé d'imprimer en Italie par L.E.G.O. S.p.A. - Lavis (TN)
Dépôt légal : 98938-4/05 - Juin 2019